FREUD
SEM TRAUMAS

ALEXANDRE CARVALHO

FREUD SEM TRAUMAS

Para você entender, de uma vez, as teorias que desvendaram a mente humana e mudaram o mundo – e as nossas vidas

LeYa

Editora executiva
Izabel Aleixo

Produção editorial
Ana Bittencourt, Carolina Vaz e
Emanoelle Veloso

Preparação
Clara Diament

Revisão
Carolina M. Leocadio

Diagramação e projeto gráfico
Filigrana

Capa
Tita Nigrí

Crédito de capa
© Wikimedia Commons

Dados Internacionais de Catalogação na Publicação (CIP)
Angélica Ilacqua CRB-8/7057

Carvalho, Alexandre
Freud sem traumas / Alexandre Carvalho. -- São Paulo : LeYa Brasil, 2021.
240 p.

Bibliografia
ISBN 978-65-5643-141-3

1. Psicanálise 2. Freud, Sigmund, 1856-1939 I. Título

21-3738 CDD 150.195

Índices para catálogo sistemático:
1. Psicanálise

LeYa Brasil é um selo editorial da empresa Casa dos Mundos.

CASA DOS MUNDOS PRODUÇÃO EDITORIAL E GAMES LTDA.
Rua Frei Caneca, 91 | Sala 11 – Consolação
01307-001 – São Paulo – SP
www.leyabrasil.com.br

Para Maria Luísa e Cecília, as menininhas que, como versões infantis de Sigmund Freud, têm me levado a horas inesquecíveis de autoconhecimento – e de reflexão sobre a máquina sofisticada, e apaixonante, que é o ser humano.

Sumário

Introdução – *O inventor da modernidade* 9
Cronologia – O homem do charuto (1856-1939) 17

PARTE 1 – AS VERDADES SECRETAS DA MENTE 25
Capítulo 1 – Inconsciente: o iceberg sob a água 27
Capítulo 2 – Psicanálise: somos todos neuróticos 51
Capítulo 3 – O sonho é uma realização de desejo 75
Capítulo 4 – Atos falhos: sem querer, querendo 93

PARTE 2 – SEXO NA CABEÇA 107
Capítulo 5 – Incesto à moda grega 109
Capítulo 6 – Perversões que vêm do berço 119
Capítulo 7 – Sexualidade feminina: defeito de fábrica? 139

PARTE 3 – É GUERRA! 151
Capítulo 8 – Deus e o diabo na terra do ego 153
Capítulo 9 – Você contra a civilização 175

PARTE 4 – FREUD NO MICROSCÓPIO 191

Capítulo 10 – Ciência ou literatura? 193
Capítulo 11 – Cientistas freudianos 205

Posfácio – *Mal-estar que não passa* 215
Apêndice – *O cinema explica a psicanálise* 223
Bibliografia 235
Agradecimentos 239

INTRODUÇÃO
O INVENTOR DA MODERNIDADE

Se você viajasse numa máquina do tempo para perguntar ao "pai da psiquiatria americana", Benjamin Rush (1746-1813), quais as causas dos transtornos mentais, ouviria esta resposta, incrivelmente plausível para a época: masturbação e excesso de sangue no cérebro. Isso mesmo. Até um tempo atrás, o sexo solitário tinha culpa no cartório em males como a loucura, a cegueira, a perda de memória e a calvície – se o cabelo parava de crescer na cabeça, a palma da mão, por outro lado, ficava cabeluda. Rush, um pioneiro que abriu a primeira clínica psiquiátrica formal nos Estados Unidos – e foi um dos signatários da Independência daquele país –, além de contraindicar a masturbação, tratava seus pacientes com sangria. Mas não a bebida que mistura vinho tinto com maçã e abacaxi: a recomendação médica era drenar até quatro quintos do sangue da pessoa, supostamente porque a anemia provocada daria um jeito na agitação do cérebro, apaziguando o indivíduo. A verdade é que esse método vampírico era até comum na medicina intuitiva que se praticava, mas o dr. Rush ia além do básico: ele também rodava o sujeito numa cadeira giratória, em alta velocidade, até que o coitado desmaiasse. Ou ainda podia amarrá-lo em outra cadeira, chamada de "tranquilizante" – não era ironia –, com uma caixa de madeira apertando sua cabeça. Uma imobilização que durava horas e horas.

Medieval, não? De jeito nenhum: na Idade Média mesmo, transtorno mental era visto como possessão demoníaca. E aí alguém com síndrome do pânico, se desse muita bandeira das suas ansiedades, tinha 99% de chances de ser queimado vivo.

Benjamin, de fato, jogava do lado dos mocinhos: ele realmente se importava com os doentes. Queria tratá-los em vez de deixar, como era o costume, que ficassem esquecidos num "depósito de loucos" – os asilos onde mofavam aqueles que nenhuma família queria à mesa de jantar.

De qualquer forma, chama atenção que métodos tão arcaicos estivessem no repertório de um dos psiquiatras mais famosos da história, que morreu só quatro décadas antes que nascesse, do outro lado do Atlântico, o homem que faria uma revolução no tratamento dos distúrbios mentais – e que, ao investigar as causas das aflições humanas, criaria algumas das teorias mais impactantes, influentes e polêmicas de todos os tempos. Claro que estamos falando do personagem que você viu na capa deste livro: o austríaco Sigmund Freud.

Diferentemente do conceito difundido à época de que esses transtornos seriam "orgânicos", provocados por algum dano físico no cérebro, Freud afirmou que a causa está nos processos mentais do indivíduo. E que a cura ou o alívio dos sintomas passa necessariamente pela descarga de emoções reprimidas – uma purgação pela palavra. No tratamento à maneira de Freud, o paciente é quem fala – e fala muito, o que lhe der na telha. Agora não à base de tortura, mas confortavelmente deitado num divã.

Assim, tirando o médico do seu pedestal e dando o protagonismo da ação terapêutica ao paciente, Freud virou a prática clínica de cabeça para baixo, influenciou a medicina e criou um modelo a ser seguido – com mais ou menos adaptações – por todas as psicoterapias que viriam depois dele.

Essa mudança de abordagem, que começou em estudos do próprio Freud sobre as origens da histeria – a doença da moda em fins do século XIX –, transformou a maneira como a sociedade enxerga os ansiosos, os depressivos, os hiperativos... sim, pessoas como eu e você. Porque, como disse freudianamente a "Vaca profana" de Caetano Veloso, "de perto, ninguém é normal". Os impulsos que nos levam a fazer "loucuras" estão dentro de cada um de nós – bem ou mal reprimidos pela nossa psique. Freud só diminuiu a distância visível entre os loucos de papel passado e a gente saudável, que não coloca o pé na rua sem um ansiolítico no bolso, mas que leva a vida assim muito bem, obrigado.

Mais que isso, ao incitar cada indivíduo a um exercício terapêutico de introspecção, Freud nos tornou heróis de nossas próprias vidas. A ingerir passivamente um comprimido para todo mal-estar psicológico, preferiu estimular que cada um pensasse profundamente na essência de quem é – e que verbalizasse essa reflexão como uma aventura existencial. Uma jornada de autoconhecimento como nunca se propôs na história da humanidade.

A invenção da psicanálise, no entanto, foi muito além dessa cura pela palavra. Ao longo do processo, Freud construiu uma teoria grandiosa sobre o funcionamento da mente, que, embora tenha diversas teorias dentro de si, se alimenta sempre de uma ideia principal: sob a superfície de cada emoção, de cada escolha, de cada comportamento agressivo ou amoroso, e até das nossas piadas levemente ofensivas, há um oceano oculto chamado inconsciente. E agora vem a má notícia: não temos quase nenhum controle sobre ele.

Se hoje é amplamente aceito que o cérebro funciona mesmo enquanto dormimos – portanto fora da nossa consciência –, e que temos desejos e angústias que escondemos de nós mesmos, na época essa revelação foi uma bordoada no nosso amor-próprio. Isso porque o que Freud fez foi baixar a bola do ser humano, revelando que a personalidade que projetamos para o mundo não é resultado de decisões conscientes – sábias ou estúpidas –, e sim fruto de conflitos mentais fora do nosso alcance. Em substituição ao homem cartesiano, movido por uma consciência racional, livre das vicissitudes do corpo, Freud apresentou um indivíduo moldado por uma razão imperfeita, cujo combustível são impulsos selvagens que precisam ser domados – porque batem de frente com a vida em sociedade.

Segundo ele, temos um tesão desvairado de fazer o tempo todo o que nos der vontade – beber uma garrafa inteira de gim, socar a cara do chefe, transar como se não houvesse amanhã nem doenças sexualmente transmissíveis. Só que, claro, a gente não faz nada disso, pelo menos na maior parte do tempo. E a razão de você não estar preso ou vestindo camisa de força é que esse seu lado Amy Winehouse vive sob o cabresto de um mecanismo "coxinha" da mente, repressor mesmo, que trabalha pela adequação das suas atitudes a uma civilização que quer sempre acabar com a farra – pois, com farra o tempo todo, não há civilização possível.

E olha que Freud não foi o único a implodir a arrogância do *Homo sapiens*. Ao nos pintar como fantoches do inconsciente, ele mesmo se colocou ao lado de outros dois gigantes que também abalaram o narcisismo do ser humano. O polonês Nicolau Copérnico (1473-1543) já tinha demonstrado, com a teoria heliocêntrica, que a nossa casa neste mundo, o planeta Terra, é só uma bolinha a mais girando em torno do Sol – a estrela que é a verdadeira diva do nosso sistema planetário. Já o britânico Charles Darwin (1809-1882) afirmou que o homem está longe de ser a quintessência de uma criação divina: suas teorias mostraram que somos fruto de uma sequência absurda de acasos na evolução das espécies, e que mesmo o mais soberbo entre nós ainda é primo-irmão dos chimpanzés que vemos no zoológico. Até que, então, chegou Sigmund para declarar que o ser humano não é dono nem de seus próprios pensamentos.

Três revelações geniais, mas brochantes. Machucar assim a vaidade de homens e mulheres não ia sair barato. Desde que ganhou algum destaque em Viena, Freud foi rapidamente cercado de inimigos, detratores e gente que simplesmente não via sentido em suas teorias. Foi chamado de charlatão e velho tarado.

Difícil conformar-se, por exemplo, com um dos pilares teóricos do pensamento freudiano: a sexualidade infantil. Papais e mamães do mundo inteiro se chocaram com a ideia de que todo bebê, por mais fofucho que pareça, tem uma vida sexual em exploração, masturba-se à sua maneira e possui, em maior ou menor grau, desejos incestuosos.

Não que os *haters* de Freud nunca tivessem razão. Pelo contrário. O que suas teorias têm de brilhantes têm também de discutíveis – principalmente quando ele desanda a falar besteira sobre a sexualidade da mulher. E algumas teses não se aguentam em pé à primeira brisa científica – os avanços da neurociência jogaram para a Era Mesozoica parte do legado freudiano sobre as engrenagens mentais.

Hoje, quando a ressonância magnética do cérebro virou carne de vaca, sabemos muito mais sobre como construímos a percepção à nossa volta a partir da matéria-prima fornecida pelos sentidos. E estamos identificando os mecanismos que controlam a linguagem, a memória, nossas ações e até nossa intuição. Sabemos mais do que

Freud poderia saber porque estamos cem anos à frente dele, claro – com toda a tecnologia mais sofisticada da história a nosso favor.

Ainda assim, as últimas décadas têm recolocado Freud no centro das atenções. Um dos motivos para isso é a neuropsicanálise, sobre a qual você vai ler na última parte deste livro: uma tentativa de associar a ciência do cérebro, que estuda sua anatomia e química, aos postulados freudianos sobre emoções e inconsciente. A união dessas duas linhas de pesquisa, que até outro dia não se cumprimentavam na rua, pode nos aproximar da resposta para uma das grandes questões da humanidade: como é que nossos amores, raivas, fantasias, fobias e saudades, todos os nossos pensamentos e atitudes, bons e ruins, e os nossos sonhos mais malucos também... como tudo isso brota de um mero pedaço de carne feiosa, com aspecto de noz gigante, que fica dentro da caixa craniana?

Nessa virada de mesa pró-Freud, mesmo os mais resistentes ao conjunto de sua obra admitem a grandeza desta ideia revolucionária: a de que temos impulsos inconscientes que atuam sobre o nosso comportamento – seja como indivíduos, seja quando estamos em grandes grupos. E de que esses conflitos internos podem tanto nos trancar no banheiro num momento de ansiedade quanto levar o planeta todo à Terceira Guerra Mundial.

A dificuldade de ignorar Freud passa justamente pela permanência dessa visão – uma das mais essenciais no DNA que formou o pensamento moderno.

De verdade mesmo, você nem precisa ler Freud para viver sob a influência desse austríaco viciado em charutos. Qualquer um que consome cultura de massa – você e o resto da torcida do mundo civilizado – passa obrigatoriamente por ideias que as teorias freudianas fixaram no senso comum. Acontece quando você chama de ato falho o engano de um colega que diz "linda" em vez de dizer "amiga" ao apresentar uma moça atraente; quando as comédias do cinema recorrem a símbolos fálicos óbvios – a loira descascando uma banana quase em câmera lenta e levando-a à boca; e, mais literalmente mesmo, quando alguém solta um "Freud explica" para ironizar o amigo adulto que não quer sair da casa da mãe. Sem a interpretação dos sonhos, um de seus trabalhos mais importantes, não haveria os quadros de Salvador Dalí; sem a psicanálise, Woody Allen nunca teria feito seus melhores filmes.

Por tudo isso, nenhum dos grandes pensadores da história jamais esteve à altura de Sigmund Freud no ranking fictício dos "mais citados em mesa de bar". Ideias polêmicas como o complexo de Édipo e a inveja do pênis já fizeram companhia a incontáveis copos de cerveja nas horas alegres do pós-expediente.

E é justamente por ser o preferido do papo amador que Freud acabou se tornando o mais mal-entendido também. Pouca gente se arrisca a jogar conversa fora nas redes sociais sobre a teoria da relatividade ou a mecânica quântica. Falar de Freud é muito mais natural porque o assunto é a natureza humana, e, mesmo que você nunca tenha lido nenhum livro dele, com certeza vive esbarrando em suas teorias. Seja na crônica de jornal, no programa de debates da tevê paga ou na novela: a tragédia grega do rei Édipo, que serviu de princípio para um dos conceitos mais importantes do universo freudiano, foi tema de *Mandala*, de 1987, com Vera Fischer no papel da mãe que transou com o filho.

Só que esse telefone sem fio da leitura por tabela, misturando sem muita noção "reprimidos", "negação", "superego", gera um monte de confusão... confusão que agora acaba aqui.

A razão de ser deste livro é justamente explicar e descomplicar Sigmund Freud, corrigindo os mitos associados a ele e apresentando de forma direta e transparente suas principais teorias – tudo de um modo acessível, sem apelar aos jargões a todo momento, mas também sem menosprezar sua inteligência. No mínimo, sua conversa no boteco vai ficar mais embasada e interessante.

Afinal, sonhos, sexualidade, emoções e conflitos de personalidade são o material sofisticado de que somos feitos – o estofo da nossa própria humanidade. E, por isso, têm mesmo de estar no cerne da nossa busca por autoconhecimento. No centro dessa mesa de bar filosófica.

Garçom, pode trazer mais uma! A conversa está só começando.

CRONOLOGIA
O HOMEM DO CHARUTO (1856-1939)

1856

Sigismund Schlomo Freud nasce no dia 6 de maio, na Morávia, região da Europa Central então pertencente ao Império Austríaco, mas que hoje é parte da República Tcheca. Vive a infância numa grande família judia, ao lado de oito irmãos. Por ser o favorito da mãe e a aposta do pai para um destino de grandeza, o pequeno Sigi tem privilégios: suas irmãs são proibidas de estudar piano para a música não atrapalhar os estudos do gênio.

1860

A família se muda para Viena, a capital do Império Austríaco. Freud permanecerá morando na cidade quase que sua vida inteira. Só a deixará definitivamente em 1938, para evitar a Gestapo, um ano antes de sua morte. Curiosamente, há um período, entre 1908 e 1913, em que Freud e o próprio Hitler moram em Viena, a poucos quilômetros um do outro – e podem ter se esbarrado nas ruas do centro. Mas Freud não teria motivos para susto. Nesse período, o futuro *Führer* só é uma ameaça às artes plásticas – ainda um aspirante a pintor, mas de talento medíocre.

1881

Freud se forma em medicina. No ano seguinte, começa a trabalhar no Hospital Geral de Viena, onde é testemunha da indiferença e da imponência dos médicos diante de seus pacientes. À época, os doutores falavam e os pacientes ouviam. Freud colocará esse sistema de cabeça para baixo.

1883

Começa a praticar neurologia no laboratório do psiquiatra Theodor Meynert. Acumula experiência na anatomia do cérebro e se especializa na localização exata de lesões cerebrais.

1884

Passa a pesquisar o uso clínico da cocaína – substância que acredita ser um remédio poderoso contra a neurastenia, uma falta de vigor físico e mental. Vira usuário e entusiasta do pó branco. Numa carta à noiva, escrita nesse mesmo ano, diz: "Quando chegar, te beijarei até deixá-la toda vermelha. E, caso não se mostre dócil, verá quem é o mais forte – a doce menininha que não come o suficiente ou o grão-senhor impetuoso com cocaína no corpo". Mais tarde, arrependido e com a reputação manchada por esse hábito, deixará a droga.

1885

Estuda por cerca de um ano com o médico Jean-Martin Charcot, em Paris, e presencia o estudo de doenças psíquicas – especialmente a histeria – com o uso de hipnotismo. Esse contato tem um impacto tremendo sobre Freud. Charcot confirma sua impressão de que os sintomas físicos das histéricas têm origem mental, não em males do corpo. E a cura temporária desses sintomas, durante as sessões de hipnose, dá a Freud um insight que mudará sua vida: o de que a mente pode se dividir em duas linhas de pensamento ao mesmo tempo, um consciente e um fora do alcance da consciência.

1886

Casa-se com Martha Bernays, com quem terá seis filhos. A caçula, Anna Freud, será também psicanalista renomada, especialista em análise de crianças.

1887

Agora com consultório próprio, Freud começa a usar a hipnose para tratar doenças nervosas. Sem muita habilidade para hipnotizar pessoas, logo descobrirá que não precisa desse artifício para tratá-las. Nesse mesmo ano, estabelece amizade com Wilhelm Fliess. O médico berlinense vira confidente, apoiador e questionador das ideias de Freud, como se este precisasse falar livremente a um interlocutor – como na terapia – para melhorar suas elaborações. Ao longo de uma intensa troca de cartas e encontros esporádicos, Fliess se firma como peça imprescindível na construção do castelo teórico do amigo.

1890

Uma paciente de Freud, madame Benvenisti, o presenteia com um divã. Diz que, se terá sua cabeça analisada, precisa estar confortável. A peça é modesta, de cor bege, e o médico decide cobri-la com tapetes persas e almofadas de veludo. Em pouco tempo, Sigmund conclui que o móvel é essencial para sua terapia. (O original está em exposição até hoje no Museu Freud, em Londres.)

1891

Publica seu primeiro livro, *Sobre a concepção das afasias*, que trata de desordens da linguagem e neurologia.

1895

Esboça seu *Projeto para uma psicologia científica*, a tentativa de estabelecer a psicologia como uma ciência natural, baseada na neurologia. Mas esse trabalho é deixado de lado e só será transformado em livro após sua morte.

O maior acontecimento do ano, porém, é o lançamento de *Estudos sobre a histeria*, em parceria com o fisiologista Josef Breuer – obra considerada a certidão de nascimento da psicanálise. O livro afirma que sintomas histéricos – como paralisia de uma perna, cegueira temporária, repulsa a comida etc. – seriam representações simbólicas de memórias traumáticas, muitas vezes de natureza sexual. Revela ainda o caso de Anna O. – jovem de 21 anos, paciente de Breuer. Seu tratamento entra para a história por ter sido a primeira aplicação do método de terapia pela fala: sintomas são aliviados ou desaparecem quando a paciente expressa recordações dolorosas.

1896

No artigo "Hereditariedade e a etiologia das neuroses", Freud inventa um termo, "psicanálise", para a terapia pela fala – referindo-se a ela como um novo método de exploração do inconsciente.

1897

Após a morte de seu pai, Freud decide analisar a si próprio como forma de lidar com o luto. No processo, busca significado para suas emoções e comportamentos nas experiências da infância. E desenvolve ideias para um livro que o transformará num dos grandes pensadores de todos os tempos.

1899

A interpretação dos sonhos é publicado em dezembro – mas Freud coloca 1900 como data do livro, para marcar seu lançamento como um dos grandes eventos do início do novo século. E é mesmo. Na obra, Freud apresenta uma teoria estruturada e inovadora sobre uma parte até então desconhecida da mente, o inconsciente, que ele aponta como o verdadeiro responsável por nossos comportamentos, angústias e personalidade. O livro ainda apresenta a sua "primeira tópica": a divisão da mente em consciente, pré-consciente e inconsciente.

1901

No livro *A psicopatologia da vida cotidiana*, Freud apresenta sua teoria dos atos falhos – que, assim como os sonhos e os distúrbios mentais, seriam janelas de acesso ao inconsciente.

1905

Lança sua obra mais polêmica, que lhe rende a fama de tarado. *Três ensaios sobre a teoria da sexualidade* choca o mundo ao sugerir que crianças também têm suas próprias brincadeiras e necessidades libidinosas. E apresenta em detalhes uma de suas teorias mais influentes: o complexo de Édipo.

1906

Conhece Carl Gustav Jung, psicoterapeuta e fundador da psicologia analítica, a quem passa a tratar como herdeiro intelectual. Freud enxerga no amigo um aliado importante para a causa da psicanálise, até então considerada "coisa de um gueto judeu vienense". Jung é suíço e não judeu – o perfil ideal para desvincular a invenção de Freud da imagem reducionista. Por um tempo, de fato, Jung se torna expoente do círculo freudiano – e é claramente influenciado pelo trabalho do mestre. Mas os dois acabam rompendo por diferenças conceituais, uma separação doída para Freud.

1908

O Primeiro Congresso Internacional de Psicanálise, em Salzburgo, na Áustria, reúne 42 "psicólogos freudianos" de sete países. É a disseminação das teorias de Freud, que ganha um novo capítulo no ano seguinte, quando ele faz palestras nos Estados Unidos, onde a psicanálise virará uma febre. Apesar do sucesso no Novo Mundo, Freud reprova o consumismo desenfreado americano e teme que a psicanálise seja absorvida por esse estilo de vida, com suas simplificações e distorções: "A América é o mais gigantesco experimento que o mundo já viu, mas temo que não seja destinado ao sucesso. A América é colossal, um erro colossal".

1912

Publica *Totem e tabu*, no qual afirma que a cultura e a sociedade têm raízes na proibição do incesto.

1920

Lança *Além do princípio do prazer*, que introduz o conceito de pulsão de morte, um impulso autodestrutivo e agressivo que está na base da natureza humana.

1923

Freud apresenta sua "segunda tópica": ele agora estrutura o aparelho psíquico em id, ego e superego – instâncias em permanente conflito.

1927

Em *O futuro de uma ilusão*, deixa explícito seu ateísmo ao tratar das origens e da função da religião.

1930

Um ano após o colapso da Bolsa de Valores em Nova York, publica seu livro mais lido e mais pessimista também: *O mal-estar na civilização*. Na obra, Freud defende que os desejos humanos e as exigências da sociedade são duas coisas conflitantes – e inconciliáveis. Mas também que, embora a civilização seja uma fonte inesgotável de decepções, já que nos obriga a renunciar aos nossos impulsos, é o único remédio contra o pendor à destruição mútua.

1932

Diálogo de gênios: a convite das Nações Unidas, Albert Einstein procura Freud para uma troca de cartas em favor da paz e do desarmamento. A resposta de Freud, porém, não é lá muito otimista. Einstein gentilmente pede mais esclarecimentos, e Freud responde com um manifesto político: *Por que a guerra?*

1933

Em Berlim, os nazistas, a mando de Goebbels, queimam livros de Freud em praça pública – o Reich vê a psicanálise como "ciência judaica". Freud não se abala com a notícia e responde com ironia: "Quanto progresso! Na Idade Média, teriam me queimado; agora limitam-se a queimar meus livros". Alertado pelos amigos de que Viena não é mais segura para judeus famosos como ele, Freud ainda não leva o nazismo a sério – e se recusa a deixar sua cidade. Para ele, Hitler e seus vândalos são só o antissemitismo que aflora de tempos em tempos, testando a resiliência dos judeus. Mas se engana.

1938

Hitler toma a Áustria e assume o poder em Viena. A ficha finalmente cai, e Freud se vê obrigado a deixar a cidade para não ser outra vítima da violência nazista – e de parte da população vienense não judia, que se sente autorizada a massacrar judeus. Octogenário, já muito doente, Freud concorda em emigrar para a Inglaterra antes que o levem a um campo de concentração. Fixa residência em Londres, onde continua a atender pacientes e trabalha nas suas obras derradeiras: *Moisés e o monoteísmo* e *Compêndio da psicanálise*.

1939

A Segunda Guerra Mundial começa, e os primeiros alertas de ataques aéreos soam sobre Londres quando Freud pede a seu médico particular que cumpra uma promessa. O avanço de um câncer na boca torna-se insuportável, e o paciente quer a sedação que o livrará da dor – para sempre. Três superdoses depois, na madrugada de 23 de setembro, a morfina tira a vida do pai da psicanálise. Um fim sereno após dezesseis anos resistindo ao câncer, período no qual Freud nunca abdica de um de seus maiores prazeres – e o provável motivo de sua doença fatal: vinte charutos por dia.

PARTE 1
AS VERDADES SECRETAS DA MENTE

Nossa concepção de inconsciente nunca foi a mesma depois de Sigmund Freud. Ao investigar uma forma de tratamento para mulheres com distúrbios psicossomáticos, ele descobriu todo um universo que existe na mente humana para além da consciência. De quebra, inventou a psicanálise, estabeleceu um método de interpretação de sonhos e deu significado aos nossos atos falhos. Foi assim que abriu portas e janelas para os nossos desejos mais proibidos.

CAPÍTULO 1
INCONSCIENTE: O ICEBERG SOB A ÁGUA

A ideia de que temos pensamentos escondidos da nossa consciência vem desde Platão. Há toda uma filosofia do inconsciente anterior a Freud, mas ele foi o primeiro a estruturar uma teoria grandiosa – e perturbadora – sobre o lado obscuro da mente. Um lado irracional que responde pelas nossas paixões, ansiedades e até pelo que você coloca no carrinho do supermercado.

"He kept us out of war!" Esse slogan – "Ele nos manteve fora da guerra" – funcionou que foi uma beleza na campanha de reeleição do presidente Woodrow Wilson em 1916, garantindo aos democratas mais quatro anos na Casa Branca. O sucesso da plataforma pacifista era uma confirmação: o povo americano não queria se meter no imbróglio da Primeira Guerra Mundial, lá do outro lado do Atlântico. Enquanto a carnificina traumatizava a Europa, os Estados Unidos adotavam uma posição de neutralidade pragmática: não disparavam nem recebiam um tiro sequer, mas turbinavam a própria economia com as oportunidades comerciais abertas pelo conflito. Afinal, a Tríplice Entente – aliança militar entre França, Reino Unido e Império

Russo – tinha urgência de mais armas e alimentos. E assim, com essa "exportação solidária", a América crescia como nação protagonista no cenário global – e seus jovens continuavam em solo americano, cuidando das próprias vidas.

Basta lembrar que o combate tinha começado em 1914 para ver que esse arranjo ideal – paz na sua terra e lucro com a guerra – durou bastante. Pelo menos até um ponto em que não deu mais pé. Em 1917, os EUA se viram obrigados a mudar de estratégia, fazendo sua primeira entrada tardia e salvadora num conflito internacional do século XX. Mas qual o motivo dessa mudança de planos? Bom, é melhor falar em "motivos".

Primeiro porque a tal neutralidade era espalhafatosamente da boca para fora: o país enviava recursos e fazia empréstimos financeiros só para um dos lados da contenda – o que, claro, não deixava alemães e austríacos, o outro lado, exatamente felizes com os americanos. Além disso, os EUA também começaram a desconfiar que seus clientes... ops, aliados poderiam acabar perdendo a guerra, e isso talvez levasse a uma situação que, aos olhos do capitalismo, é pior que a morte: a malfadada inadimplência. Quem pagaria pelos capacetes, canhões, roupas e toda a comida que o país vinha exportando se tudo nesses países virasse terra arrasada?

Mas a gota d'água só pingou quando a Alemanha achou por bem autorizar seus submarinos a violar leis de não agressão marítima, afundando navios americanos em águas internacionais. (Como se não bastasse, os alemães ainda prometeram ajudar os mexicanos a retomar o Texas, o Arizona e o Novo México dos americanos. Aí já era audácia demais...)

Ou seja, motivo para partir para a briga não faltava. O que faltava mesmo era combinar com os pais dos soldados americanos. Se Wilson tinha sido reeleito garantindo que não mandaria seus jovens para a matança na Europa, como convencer a população de que ir à guerra tinha propósitos mais valiosos que qualquer promessa de campanha?

Então, para passar uma borracha no que foi dito e mexer com a cabeça da sociedade, a administração federal se empenhou em criar a maior máquina de propaganda política já vista no planeta – um bombardeio agressivo de mensagens, diretas e subliminares, em favor da guerra, louvando os ideais de patriotismo, democracia e liberdade. Daí nasceram incontáveis filmes, livros, pôsteres e folhetos, além de anúncios e artigos publicados nos principais jornais do país. Nesse esforço de convencer a opinião pública, o governo ainda recrutou celebridades, pastores e professores para advogar pela causa, patrocinando palestras e debates.

O resultado foi que o governo ganhou com folga a guerra dentro de casa. Os movimentos progressistas compraram o argumento de Woodrow Wilson e reforçaram seu discurso; o povo foi convencido, e 4 milhões de militares foram mobilizados – desses, 320 mil não voltariam vivos.

O resultado você sabe: com a ajuda fundamental dos americanos, a Tríplice Entente venceu a guerra em 1918, e os alemães tiveram de engolir as restrições impostas pelo Tratado de Versalhes – acordo que teria influência na ascensão de Hitler e no início de outro conflito mundial, mas isso é outra história. No ano seguinte ao fim da Primeira Guerra, o presidente dos Estados Unidos foi à França participar da Conferência de Paz que estabeleceria as condições impostas aos derrotados, e o que se viu foi uma recepção calorosa e vibrante dos parisienses – que, como se sabe, não são historicamente famosos por exaltar o que vem dos EUA. Ainda com a propaganda americana reverberando, Wilson foi aclamado como o grande libertador do povo europeu – o líder de um novo mundo, salvo da ameaça dos impérios totalitários. Um mundo democrático e de livre-comércio.

Quem viu toda essa empolgação de perto foi Edward Bernays (1891-1995), que tinha feito parte da engenharia de convencimento e por isso foi convidado pelo governo americano para ir à França na ocasião. Aos 28 anos, esse jornalista – que se tornaria pioneiro da função de relações públicas no mundo – ficou maravilhado com o poder da propaganda de mexer com as emoções das massas. E então chegou a uma reflexão que mudaria o seu destino dali para a frente: se é possível introduzir uma sugestão na cabeça de milhões de pessoas num período tão complicado como a guerra, com certeza dá para fazer isso em tempos de paz. Mas como?

Uma vez em Paris, Bernays – filho de imigrantes austríacos – aproveitou a estada na Europa para se conectar com a família que tinha ficado no continente. E mandou um presente para um tio querido, irmão de sua mãe: uma caixa de charutos cubanos. Em retribuição, recebeu do tio uma cópia de um livro escrito por ele: *Conferências introdutórias à psicanálise*. Bernays de cara ficou fascinado com a obra, especialmente com a ideia desse seu tio, Sigmund Freud, de que o ser humano é dominado por desejos irracionais – que permanecem numa parte obscura da mente e respondem pelos nossos comportamentos e, mais importante ainda, por nossas escolhas. Foi aí que Bernays teve a grande ideia de sua vida: fazer dinheiro explorando as descobertas do seu parente amante de charutos, influenciando operações mentais que a maioria das pessoas nem tinha noção de que existem. Nem ele tinha, até aquele momento.

Em seu livro *Propaganda*, de 1928, Bernays escreveria: "Aqueles que manipulam os mecanismos ocultos da sociedade constituem um governo invisível que é o verdadeiro poder em vigor no nosso país. Somos governados, nossas mentes são moldadas, nossos gostos são formados e nossas ideias são sugeridas, em grande parte, por homens de quem nunca ouvimos falar. São eles que puxam os fios que controlam a mente do público".

Anos depois, outro grande teórico das relações públicas, o americano Scott Cutlip, escreveu: "Quando alguém se encontrava com Bernays, não demorava nada até que seu tio fosse trazido à conversa. A relação dele com Freud estava sempre na vanguarda do seu pensamento".

Agindo assim, Edward Bernays tornou-se figura-chave por trás do impulso ao consumismo nos Estados Unidos na primeira metade do século XX. E foi logo chamando a atenção da indústria com uma campanha revolucionária – curiosamente, relacionada ao hábito de fumar, tão caro ao tio Sigmund.

Contratado por George Hill, presidente da corporação americana de tabaco, Bernays recebeu uma missão que parecia impossível à época: quebrar o tabu de que mulheres fumando em público era uma coisa grotesca, um atentado à moral e à decência. Empolgadíssimo com as ideias de Freud, Bernays pediu ajuda a um dos primeiros psicanalistas dos EUA, Abraham Arden Brill (1874-1948), porque seu tio mesmo nunca quis se envolver com a mercantilização das próprias teorias. (Em 1924, o produtor de Hollywood Samuel Goldwyn ofereceu um dinheirão a Freud em troca de ajuda num roteiro de filme romântico com ideias psicanalíticas. A recusa foi imediata.) O que o sobrinho queria descobrir, via psicanálise, era o que o cigarro significava para as mulheres – e o que poderia vir a significar. Brill, que foi tradutor de obras de Freud para o inglês, respondeu com um simbolismo que hoje é clássico, mas que na época podia ser tão surpreendente quanto ultrajante: o cigarro simbolizava o pênis e, consequentemente, o poder masculino sobre a mulher. Bernays entendeu, então, que o desafio estava em mostrar às consumidoras que fumar representaria se contrapor ao domínio do homem, porque "a mulher teria seu próprio pênis".

Para chamar a atenção do país inteiro para essa ideia, Bernays organizou um manifesto *fake* durante um dos eventos mais midiáticos daqueles tempos nos EUA: a Parada de Páscoa em Nova York. Pegando carona no movimento sufragista, que tinha conquistado o direito de voto às mulheres em 1920, ele convenceu um grupo de debutantes ricas a esconder cigarros sob a roupa. Elas deviam juntar-se ao desfile e, num determinado momento, sob o comando de Bernays, acender seus cigarros Lucky Strike todas ao mesmo tempo, e da maneira mais teatral possível.

Sim, era um *flash mob*.

Mas antes ele havia preparado a imprensa: espalhou que um grupo de feministas estaria armando um escândalo bem no meio da parada. Um protesto chamado "Tochas da Liberdade".

A encenação foi um sucesso. Avisados sobre o "protesto", os fotógrafos ficaram a postos, e não faltaram registros daquelas mulheres jovens e bonitas fumando, legendados com um slogan para lá de libertário. Assim, a notícia viralizou – tanto quanto seria possível com os meios de comunicação da época: os nova-iorquinos haviam testemunhado um grito impactante de igualdade entre os gêneros, e os costumes nunca mais seriam os mesmos. Ainda que tudo não passasse de uma ação de marketing.

A partir daquele ato histórico, mais e mais mulheres começaram a fumar sem disfarces nos Estados Unidos, e a publicidade do cigarro passou a ser dirigida para elas também. Resultado: o público-alvo da indústria tabagista dobrou de tamanho. E o sobrinho de Freud se consagrou. Tanto que não parou mais de usar as teorias do tio para aquecer o comércio – associando mercadorias e serviços aos desejos sobre os quais não temos uma elaboração racional.

Essa "psicanálise do consumo" transformou toda a propaganda nos EUA e, posteriormente, no resto do mundo. Até então, a ideia geral era de que, se você simplesmente expunha ao consumidor todos os fatos e informações técnicas sobre um produto, isso seria suficiente para convencer as pessoas a colocar a mão no bolso. A grande contribuição de Edward Bernays ao capitalismo foi uma mudança do conceito de "você precisa desse produto" para o de "esse produto vai melhorar sua autoestima" ou "esse produto vai melhorar você".

A ideia de que, ao fumar, as mulheres se tornariam mais poderosas e livres é completamente irracional – e até absurda. Fumar só deixa a gente sem fôlego e provoca câncer. Mas, de fato, na época, e até bem pouco tempo atrás, essa "conquista" deu às mulheres um sentimento de independência – e à indústria do tabaco, um oceano de dinheiro.

Mexer com as nossas emoções ocultas foi tão importante para a economia naquelas primeiras décadas do século passado quanto ainda é hoje. E isso se comprova com uma simples ida ao supermercado. Você acha mesmo que faz decisões racionais quando está rodeado por centenas ou milhares de produtos? Não é bem assim: diante de cada barra de chocolate ou macarrão instantâneo na prateleira, nosso cérebro toma uma decisão de compra antes que a consciência entre em ação. O núcleo *accumbens*, que é a parte cerebral responsável por fabricar boas sensações, avisa baixinho que você adora miojo sabor galinha caipira. Ele sabe que você não resiste àquele gosto ultraforte de tempero químico e então inunda seu cérebro com dopamina – o hormônio do prazer. Você não pensa conscientemente em nada disso. Só tem uma sensação boa e decide pegar logo cinco pacotes de miojo (é tão baratinho...).

Repare que, muitas vezes, as frutas e os legumes costumam ficar bem na entrada dos supermercados. É assim porque produtos saudáveis logo de cara aplacam os opositores da nossa mente. No córtex insular, responsável por estímulos emocionais e respostas fisiológicas, processamos um sentimento de rejeição a tudo o que é ruim no mercado: cheiro de peixe podre, preços altos e comida que faz mal. Se essa parte do cérebro fica agitada, não compramos nada. Mas a entrada do mercado cheia de "produtos do bem" dá uma anestesiada nesse desmancha-prazeres. E ficamos achando que ali é lugar de gente feliz e enchemos o carrinho também nas seções de produtos industrializados – e bem mais caros.

Um estudo[1] do Departamento de Psicologia da Universidade de Leicester, na Inglaterra, mostrou que até a música pode provocar uma vontade irracional de comprar certos produtos. Os pesquisadores colocaram nas prateleiras de um supermercado oito vinhos do mesmo tipo de uva e com o mesmo preço. A única diferença entre eles: quatro eram franceses e os outros quatro, alemães. O mercado então instalou nesse setor da loja um aparelho de som que num dia tocava música francesa e no outro, canções alemãs. A diferença no resultado das vendas foi impressionante: no dia em que tocava música francesa, 77% dos vinhos vendidos eram da França; nos dias de música alemã, o padrão mudava, e 73% das garrafas que chegavam aos caixas do supermercado eram da Alemanha. É óbvio que a música influenciou as decisões de quem só sabia que precisava de um bom acompanhante para o risoto. Mas essa influência não foi percebida conscientemente pelos consumidores. No estudo, quando questionados se a música havia tido algum peso na escolha pela nacionalidade do vinho, só um comprador em cada sete pesquisados achou que sim.

Essa maneira de o capitalismo buscar, no estudo da mente, formas de estimular o consumo alcançou um nível sofisticado de maquiavelismo naquele que parece ser nosso maior companheiro de todas

---

1 NORTH, Adrian C. et al. "In-store music affects product choice". *Nature*, nº 390, 1997.

as horas: o smartphone, aparelho que é um verdadeiro playground para os pesquisadores do comportamento humano.

Um exemplo assustador de como nossa mente pode ser manipulada é a chamada "rolagem infinita", aquele recurso em que se vai passando o dedo para descer pela tela de determinados aplicativos e conferir um conteúdo que nunca termina. É assim que a gente se atualiza no Facebook, no Twitter, no Instagram, no YouTube... Mas o que esse dedilhar, que beira a automação, tem a ver com a internet tentando (e conseguindo) controlar nossas atitudes? A resposta vem de meados do século XX, uma época em que telefones ligados a uma rede mundial de computadores só poderiam estar nas ficções mais futuristas. Foi nos anos 1950 que um professor de Harvard, o psicólogo Burrhus Frederic Skinner (1904-1990), fez um experimento[2] com ratos para mostrar como nossa mente pode ser condicionada.

Esse estudioso colocou roedores numa gaiola com uma alavanca. Cada vez que um rato pressionava essa peça, ganhava um tanto de comida. Ninguém precisa ser um Einstein para supor que os bichinhos logo se viciaram naquele mecanismo de recompensa. Mas o estudo foi além. Quando acionavam a alavanca, os animais às vezes ganhavam um banquete todo; em outras vezes, só um aperitivo. E aí veio a surpresa: os ratos que mais se viciaram na alavanca não foram do grupo que ganhava sempre muita comida. Foram aqueles cujo prêmio era inconstante – os acionamentos resultavam ora em comida farta, ora numa merreca de alimento. Quanto maior a incerteza da gratificação, maior era a compulsão dos ratinhos.

Assim como Freud, Skinner considerava o livre-arbítrio uma ilusão – algo que se comprovou no laboratório, e que se prova diariamente nos cassinos de Las Vegas.

---

2 FERSTER, C. B.; SKINNER, B. F. *Schedules of Reinforcement*. Nova York: Appleton-Century-Crofts, 1957.

As máquinas caça-níqueis funcionam exatamente como no estudo que ele fez, alternando uma sequência de tentativas frustradas com uma ou outra explosão de alegria – aquele momento em que um monte inebriante de dinheiro cai no seu colo. Aliás, até o uso da alavanca para se obter a recompensa é igual. Por isso mesmo, o caça-níqueis é considerado o jogo que mais causa dependência – vicia três a quatro vezes mais rapidamente que outros tipos de apostas – e é proibido em muitos lugares do mundo.

Essa proibição, no entanto, não impede que todo cidadão tenha seu caça-níqueis particular no bolso. Sim, porque nossos celulares estão cheios de aplicativos com o mesmo *modus operandi*. Quando você abre suas redes sociais, acaba se demorando muito mais do que tencionava rolando a página para baixo (e jogando no ralo a sua produtividade no trabalho). O próprio movimento do seu dedo é um simulacro do acionamento da alavanca do caça-níqueis pelo apostador iludido.

Esse é exatamente o conceito chamado pelo psicólogo americano de "programação variável de recompensas". A compulsão por descobrir qual será o próximo *post*, a próxima foto, a próxima chamada de um portal de internet supera o nosso interesse real por cada um desses conteúdos. O objetivo das indústrias de tecnologia é que você passe o maior tempo possível hipnotizado nesses espaços – afinal, quanto mais dura a sua permanência nos ambientes virtuais, melhores os números que as empresas vão mostrar para seus anunciantes. Não é à toa, então, que elas estejam no *top 10* das marcas mais ricas do planeta.

"Se você não dá tempo para o seu cérebro acompanhar os seus impulsos, simplesmente continua rolando [a página do aplicativo] para baixo." A constatação é mais importante do que parece, porque foi feita pelo homem que inventou o recurso da rolagem infinita nos smartphones: o programador californiano Aza Raskin. Considerado um herói no Vale do Silício, hoje ele se arrepende da própria criação

– assim como Sean Parker, o primeiro CEO do Facebook, que afirmou num debate de 2018: "Nós exploramos, conscientemente, uma vulnerabilidade da psicologia humana. Só Deus sabe o que estamos fazendo com o cérebro das crianças".

Ou seja, se você faz parte da imensa parcela da população que dorme com o celular embaixo do travesseiro, almoça e janta conferindo as redes sociais, não tente se enganar: você também é um rato de Skinner.

Caso desconfiasse que suas ideias acabariam virando isca em ações promocionais do varejo, para vender de lingerie a carro usado, Freud talvez jogasse na lixeira tudo o que escreveu. Mas ele teve reconhecimento ainda em vida pelo alcance muito maior de suas teorias, de modo que provavelmente morreu satisfeito com sua criação – e talvez seguro de que ela daria o que falar, por décadas e décadas.

O fato é que a investigação moderna sobre os nossos processos mentais, e especialmente sobre como eles influenciam nossas emoções e comportamentos – no uso do cartão de crédito, no amor, na paz e na guerra –, só chegou a esse patamar sofisticado graças à principal contribuição de Sigmund Freud para o pensamento do século XX: o inconsciente.

POÇO DOS DESEJOS

Tudo o que você já leu ou ainda vai ler sobre Freud passa pela ideia do inconsciente. Complexo de Édipo, mecanismos de defesa do ego, pulsão de morte... nenhuma dessas coisas aconteceria de forma consciente na cabeça da gente. Você nunca pensa, entre uma estação e outra do metrô, "Opa, agora me deu uma vontade meio louca de matar o meu pai e me casar com a minha mãe. Mas, como isso é bizarro, vou só falar mal dos discos de bolero de que o velho tanto gosta". Ou então: "Meu marido é um traste, me trai toda sexta, quando diz que vai jogar bola com os amigos, mas eu finjo que não sei para preservar a minha saúde mental dessa situação degradante". Segundo Freud, embora esses desejos e autodefesas existam e influenciem as nossas atitudes e até a nossa personalidade, na maior parte do tempo eles ficam reclusos lá no fundão da nossa mente – uma parte que, aliás, é a que toma conta do negócio todo.

Hoje, mais de um século depois dos primeiros postulados de Freud sobre o assunto, está claro para qualquer um que, uma hora ou outra, somos traídos por desejos secretos, fantasias, medos que não admitimos nem para nós mesmos. Podemos arruinar nossa vida por um ato completamente besta, que jamais teria acontecido se tivéssemos pensado "conscientemente" na coisa.

Por outro lado, essa compreensão da influência do inconsciente é motivo de esperança: a de que nossas ansiedades, timidez, maus comportamentos, nossas relações pessoais e até o empenho diante de objetivos de vida, tudo isso pode ser mais trabalhado. Quiçá na terapia. Como dizia um slogan de cursinho, há "mais de você em você mesmo".

Mas essa descoberta do pai da psicanálise nunca teria existido se não houvesse, antes, uma filosofia toda dedicada a escrutinar os mistérios do pensamento. "Poetas e filósofos descobriram o inconsciente antes de mim; o que eu descobri foi o método científico para estudá-lo", admitiu Freud. Bom, científico mais ou menos – mas isso é assunto para o penúltimo capítulo deste livro. O que importa agora é que ele tinha razão ao reconhecer que, se foi o grande teórico do inconsciente, não foi seu inventor.

FILOSOFIA DA MENTE

Essa história toda começou lá na Grécia Antiga, quando Platão (427 a.C.-347 a.C.) disse que o corpo pertence ao mundo material, enquanto a mente – que ele chamava de alma – era outra coisa: pertencia ao mundo das ideias. Formava-se ali uma noção primitiva de consciência, que ficou muito mais bonita quando, no século XVII, o filósofo René Descartes (1596-1650) fez sua própria descrição da relação entre corpo e mente. Descartes imaginava uma mente imaterial que ficaria instalada, veja só, na parte do fundo do cérebro, enquanto o corpo seria um sistema operado por fluidos que provocam os movimentos. "Há uma alma racional nessa máquina", diria ele. "Sua morada é o cérebro." Já havia ali, portanto, uma localização da mente no órgão que temos dentro da cabeça – não pensamos com o estômago, mesmo quando estamos famintos –, uma percepção que teria reflexo na própria origem da neurociência.

Mas, ainda antes que essa divisão de tarefas fosse proposta por Descartes, o suíço Paracelso (1493-1541) – um gênio polivalente, que era bom em tudo que fazia – apresentou a primeira descrição médica do inconsciente. Mais do que isso, ele praticamente abriu caminho para o que viria a ser a psicanálise, associando sintomas físicos a transtornos mentais inconscientes. "A causa da doença *chorea lasciva* é uma mera opinião e ideia, assumida pela imaginação, afetando aqueles que acreditam em tal coisa." Antecipando Freud, Paracelso defendia que há duas vidas distintas no homem: a racional e a instintiva, e que a última estaria ligada a estados alterados da consciência, como o sonho.

Desde então, sempre houve, na filosofia, teorias sobre a existência de uma parte oculta da mente. No começo do século XVIII, o alemão Gottfried Leibniz (1646-1716) foi vanguardista ao falar de pensamentos que estão fora do alcance da consciência – que ele chamava de *pequenas percepções*. E no século XIX outro alemão, Johann Friedrich Herbart (1776-1841), também um estudioso do funcionamento da mente, proporia um modelo que depois seria aprimorado por Freud. Ele se perguntava como não ficamos malucos tendo de guardar na cabeça o zilhão de pensamentos que temos ao longo da vida. Onde caberiam tantas ideias, sentimentos, lembranças? Herbart então sugeriu um esquema mental que funcionaria assim: as ideias conteriam energia e resistiriam entre si quando discordantes, causando um efeito de afastamento. Quando temos duas ideias antagônicas, acabamos automaticamente favorecendo uma delas, que se torna perceptível na nossa mente. Já a ideia perdedora seria repelida e expulsa da consciência, para um lugar que ele chamou de "estado de latência" – mas que você pode chamar de inconsciente.

Também é impossível falar sobre a influência da filosofia em Freud sem citar Arthur Schopenhauer (1788-1860). Mais um alemão nessa história, o autor de *O mundo como vontade e representação* dizia que temos uma Vontade, irracional e "fora de nossas representações cognitivas" – algo muito semelhante à noção freudiana do inconsciente e seus impulsos. Schopenhauer dizia ainda que temos uma Representação, que é a atividade que ocorre no cérebro para a formulação das imagens de tudo o que a gente vê – outro conceito próximo ao de Freud, que chamou de "representação da coisa" as apresentações visuais, acústicas e táteis que temos na mente. A semelhança entre o pensamento desses dois gigantes chega ao ponto de Schopenhauer dizer que a Vontade impediria que alguns pensamentos chegassem ao nosso intelecto porque seriam inaceitáveis – em alguns casos, poderiam nos levar à loucura. Eis aí a própria base da repressão na psicanálise, como veremos mais adiante.

Assim como a filosofia, a chamada Nova Psicologia – uma primeira tentativa de se estudar psicologia em laboratório – foi dar um passeio pelo inconsciente antes de Freud. No livro *Principles of Mental Physiology* ["Princípios da fisiologia mental", sem edição brasileira], o naturalista britânico William Benjamin Carpenter (1813-1885) afirmou que "dois trens distintos de ação mental operam simultaneamente, um de forma consciente, outro de forma inconsciente", e que "não apenas uma ação automática, mas também inconsciente, desempenha grande papel em todos os processos".

Ou seja, quando Sigmund Freud começou a prática clínica, nos anos 1880, a intelectualidade europeia já estava ocupadíssima com discussões sobre o inconsciente. Um livro de Eduard von Hartmann, *Filosofia do inconsciente*, era tão popular na época quanto *Cinquenta tons de cinza* nos dias de hoje: ganhou nove edições, um fenômeno paulocoelhiano para o século XIX. E a própria literatura já conquistava público trabalhando o tema de forças inconscientes que se impõem sobre a porção mais racional do indivíduo. Foi assim com *O médico e o monstro*, obra de Robert Louis Stevenson (1850-1894). Nesse clássico da literatura de terror, o drama gira em torno da divisão da mente de um indivíduo em duas personalidades, uma toda certinha – o respeitável dr. Jekyll – e outra impulsiva e agressiva – Hyde, o psicopata –, uma elaboração que encontra paralelos nos conflitos psíquicos de que Freud falaria mais tarde.

Nesse contexto, de muita especulação filosófica e até artística, Freud foi o primeiro a se comprometer integralmente com o assunto, usando essas teses anteriores como escafandro para mergulhar nas profundezas abissais do inconsciente. Quando emergiu de volta, trouxe consigo uma topologia para a mente humana, com localizações e funções distintas para cada parte do nosso aparelho psíquico. Foi assim que transformou a noção de onde vêm cada emoção e decisão que tomamos na vida. De verdade, foi a partir daí que Freud começou a construir uma parte significativa da autopercepção de qualquer indivíduo que viva em sociedade: a concepção moderna do que há de mais humano – falível e ardente de desejo – dentro de nós.

É o que vamos ver agora.

SANTÍSSIMA TRINDADE PSÍQUICA

Para Sigmund Freud, o que chamamos de consciência – a parte operacional da mente, que nos dá uma compreensão direta das coisas ao longo das experiências do dia a dia – é só a ponta de um imenso iceberg. Uma fração pequena e superficial do total das forças que atuam na nossa vida psíquica. Toda a parte do iceberg que está "abaixo do nível do mar" é o inconsciente.

Aliás, numa primeira etapa, Freud disse que a mente tem dois tipos de inconsciente: o inconsciente propriamente dito, formado por pensamentos inacessíveis, e, no meio de campo, um pré-consciente, cujas excitações podem, sim, chegar à nossa compreensão.

Esse conceito da mente dividida em três instâncias – consciente, pré-consciente e inconsciente – ficou conhecido como a "primeira tópica freudiana".

Então vamos lá. Quando você ouvir falar de "tópica", no sentido da psicanálise, é isto: cada uma das elaborações teóricas de Freud sobre a divisão da mente. O termo vem do grego *topos* (lugar) e por isso tem a ver com a tal *topologia da mente*, como eu disse agora há pouco. A primeira, Freud apresentou no finzinho de 1899, com a publicação do livro *A interpretação dos sonhos* (do qual vamos falar bastante daqui a dois capítulos). Foi o resultado de muita leitura desses autores que vieram antes dele e do estudo da mente de mulheres histéricas (tema do nosso próximo capítulo). Ele se apegou a essa divisão até que, nos anos 1920, lançou uma segunda tópica, quando a mente ganhou uma nova repartição: id, ego e superego (que também vão render assunto mais para a frente neste livro).

Para não se embaralhar muito com as ideias freudianas, tente guardar uma coisa: durante toda a sua vida, Freud foi mexendo bastante nas próprias teorias, acrescentando novas abordagens e corrigindo o que lhe parecia ultrapassado – ou errado mesmo. Além disso, alguns conceitos vivem reaparecendo ao longo dos seus livros e ensaios – um vaivém nem sempre isento de contradições.

Mas, voltando às divisões da primeira tópica, uma analogia razoável dessa geometria mental pode ser a televisão. Isso mesmo. Comece pensando o seguinte: quando o aparelho está desligado, não quer dizer que não haja atividade acontecendo no universo televisivo. Você sabe que há toda uma galáxia de programas sendo exibidos, porém há um portal mágico chamado controle remoto entre você e esse conteúdo oculto. Já com ela ligada, você só vê um bocadinho do que as empresas de tevê prepararam – mas, claro, não vê como é feita essa preparação.

Bem por trás dos pixels que chegam à sua sala de estar, há bastidores de filmes, telejornais, novelas e séries, onde esse material está sendo produzido, escrito, editado, discutido... É o tal do *making-of*. Tudo isso é inacessível à sua percepção. Além disso, enquanto você vê um jogo de futebol ou sua série preferida, há uma penca de outros programas passando ao mesmo tempo, mas que também não estão acessíveis nesse momento, porque você – por algum motivo claro ou obscuro – decidiu pousar o controle remoto no bendito Guarani x Luverdense. (Talvez tenha a ver com um desejo inconsciente de aproximação com seu pai, que sempre foi boleiro; talvez, se você for homem, seja a afirmação de uma heterossexualidade contra impulsos internos que você prefere rejeitar.)

Todo esse universo do que acontece nos bastidores da tevê, ao qual você não tem acesso, seria o inconsciente; a programação dos outros canais, à qual você pode ter acesso dependendo de algumas circunstâncias – no caso, um clique no controle remoto –, seria o pré-consciente; e aquilo a que você está mesmo assistindo seria a parte mais conhecida dessa história toda: a consciência.

O CONSCIENTE

Apesar de a psicanálise ser uma teoria do inconsciente, isso não quer dizer que Freud não desse bola para a consciência. Pelo contrário, os psicanalistas partem justamente do que chega à consciência de seus pacientes para acessar os processos ocultos que levam a pessoa a buscar terapia. Mas essa parte da mente – Freud explica e a ciência atual concorda – é só a pontinha do iceberg: hoje, cientistas estimam que apenas 5% dos nossos processos cognitivos sejam conscientes, passando pelo nosso controle racional. Todos os outros 95% são domínio do inconsciente – exatamente o que Freud afirmava.

Apesar dessa aparente desvantagem, sem a consciência não haveria como explorar a perigosa e fascinante pedrona de gelo que se esconde ali. Tanto que Freud afirmou que o consciente "permanece sendo a única luz que ilumina nosso caminho e nos conduz através da obscuridade da vida mental". Sim, ele dava grande importância à tomada de consciência, pela pessoa, daquilo tudo que ela não sabia sobre si mesma.

A grande diferença pré e pós-Freud é que, antes, o senso comum dizia que o consciente era o chefão dos nossos pensamentos – até porque as pessoas não faziam muita ideia do que existia do outro lado do muro. E aí o nosso Sigmund mudou a hierarquia entre os estados mentais. Para ele, o consciente é apenas o programa que você está vendo na TV da sua vida naquele momento. "Que papel sobra, em nossa apresentação, para a consciência, antes todo-poderosa e que tudo ocultava? Nenhum outro que o de um órgão sensorial para a percepção de qualidades psíquicas", escreveu em *A interpretação dos sonhos*.

A teoria de Freud também lembra que tudo aquilo que nós vemos nessa TV Consciência passa voando, numa fração de segundo: é o seu caráter transitório. "Em geral, a consciência é somente um estado extremamente fugidio. O que é consciente só o é por um momento." (Essa afirmação de Freud vai ao encontro da teoria atual do psicólogo Daniel Kahneman, Prêmio Nobel de Economia. Segundo ele, estamos sempre pulando da nossa percepção de presente para uma de passado porque, para o nosso cérebro consciente, o agora não dura mais que três segundos.)

Hoje os cientistas acreditam que o córtex pré-frontal é o maestro dos nossos pensamentos e percepções conscientes. Se você quiser saber a localização da consciência na sua cabeça, ela está logo atrás da sua testa, onde fica essa parte marota do cérebro.

O PRÉ-CONSCIENTE

Nesse aparelho psíquico de Sigmund Freud, o pré-consciente é um sistema intermediário entre consciente e inconsciente. O termo surgiu pela primeira vez em 1896, numa carta dele ao amigo Wilhelm Fliess (1858-1928). Segundo Freud, no pré-consciente, "os fenômenos de excitação podem chegar à consciência sem maior demora, desde que sejam atendidas outras condições, como um certo grau de intensidade, uma certa distribuição da atenção".

Traduzindo, o pré-consciente é já uma parte do inconsciente, mas com uma diferença importante quanto ao resto do "continente escuro": os pensamentos que estão ali podem vir à tona mais facilmente, desde que despertos por algum motivo especial.

É aí que ficariam as suas memórias acessíveis, como um aroma que acaba remetendo a um prato que só sua avó sabia fazer, ou uma foto que o faça lembrar a primeira vez em que a sua filhinha disse "papai" ou "mamãe".

SUA MAJESTADE, O INCONSCIENTE

E a maior parte desse iceberg? O pensamento ocidental, ao longo do século XIX, tinha um pé no positivismo, afirmando que as pessoas podiam acumular conhecimento sobre si mesmas e tomar decisões racionais com isso. Decisões conscientes, que fique claro. Mas Freud estragou essa ilusão de poder quando colocou seu periscópio para examinar a parte do iceberg escondida abaixo do nível do mar. Disse que não sabemos por que pensamos o que pensamos. E que geralmente agimos por razões que desconhecemos. Razões chacoalhadas nesse oceano submerso.

O inconsciente carrega, segundo Freud, as principais determinantes da personalidade e as fontes da nossa energia mental. Esse é o lado bom. Porque lá também estão nossos medos, nossas motivações egoístas, desejos irracionais, impulsos sexuais dos quais você não se gabaria numa mesa de bar, além de umas tantas experiências infantis traumatizantes.

E aí vem um detalhe importante: Freud explica que todo esse lado ruim fica reprimido por um mecanismo da própria mente para que nossa consciência não viva em estado de perpétuo assombro. Ou seja, temos um vasto material censurado no inconsciente, que não vem à consciência nem se nós quisermos nos lembrar dele. (Só surge mediante as condições muito especiais de que vamos tratar nos próximos capítulos.)

Se você sente uma raiva tremenda de um familiar, por exemplo, a ponto de desejar que ele morra, é comum que você não tenha consciência desse desejo – afinal, você é uma pessoa boa, que não quer a morte nem de um marimbondo pentelho, muito menos de um parente seu. Então esse desejo fica guardado no inconsciente. Mas você acaba tendo reflexos dele de alguma forma, por uma coisa que Freud chamou de "formação de compromisso".

Esse conceito é um tipo de acordo que sua mente faz com ela mesma para conciliar seus desejos secretos com aquilo que seria aceitável, tanto pelos padrões da sociedade quanto em prol do seu equilíbrio mental. Nos sonhos, por exemplo, a formação de compromisso se dá quando um desejo indecente seu aparece de uma forma tão disfarçada que você não suspeita que fosse motivo de vergonha. E alguns dos nossos comportamentos podem ser a expressão – ainda que irreconhecível, adaptada à realidade – desses impulsos proibidos. (Vamos falar de todos esses disfarces dos desejos nos próximos capítulos.)

REPRIMIDOS

O que Freud descobriu foi que algumas lembranças e desejos podem ser tão apavorantes ou dolorosos que não dá para a gente pensar neles. Por isso, a mente criou um mecanismo de preservação da nossa sanidade mental, emparedando esses pensamentos no nosso inconsciente, fora do nosso alcance. Esse é o famoso processo que Freud chamou de repressão – um dos grandes conceitos da psicanálise. Mas essa inacessibilidade não significa que esses pensamentos não tenham efeitos sobre nós. Como são carregados de desejo, eles querem vir à tona, sair de trás dessa parede onde estão presos – afinal, queremos que nossos desejos sejam satisfeitos, mesmo que eles sejam terríveis. Por isso, a repressão demanda muita energia psíquica para cumprir com suas atividades de carcereira mental.

Parece ruim à primeira vista – vá chamar alguém de reprimido para ver se a pessoa gosta. Mas não é. Toda essa ação existe para nos poupar do sofrimento. O problema é quando esses sentimentos ocultos, na ânsia de virem para a consciência, acabam mexendo com a nossa saúde psicológica. E aí haja sessão de psicanálise para poder lidar com isso.

O CEGO QUE VIA SEM VER

Embora tenhamos muito a descobrir ainda a respeito do inconsciente, a ciência atual tem confirmado algumas das elaborações de Sigmund Freud. Por exemplo, o austríaco dizia que, apesar de a consciência bater o cartão quando você apaga a luz para dormir, o inconsciente trabalha sem parar. Hoje a neurociência está cheia de validações dessa atividade constante do inconsciente, que nos permite funcionar como seres humanos. E essas comprovações, vira e mexe, chegam a revelações extraordinárias – que deixariam o próprio Freud de boca aberta (cuidado para o charuto não cair!).

Uma descoberta recente, e que parece coisa de filme, é uma capacidade chamada *blindsight*, "visão às cegas". Tudo começou quando um homem na Suíça sofreu um derrame que desligou as áreas do lobo occipital do cérebro responsáveis pela visão: o indivíduo ficou completamente cego. Com um detalhe: seus olhos não tinham problema nenhum, permaneceram saudáveis. O sistema óptico continuava captando e registrando luz, mas o córtex visual não conseguia mais processar os dados enviados pela retina.

Esse homem cego pela hemorragia cerebral virou então objeto de pesquisa, passando por uma série de testes. Desses, dois apresentaram resultados que parecem sobrenaturais.

O indivíduo pesquisado, então com 54 anos, foi posto diante de um laptop que mostrava uma sequência de rostos zangados e felizes.[3] Os pesquisadores iam passando as imagens e perguntando se ele achava que a face na tela estava zangada ou feliz. Parece até brincadeira de mau gosto, perguntar isso a um cego, certo? Mas o pesquisado acertou dois terços das vezes. Muito mais que uma mera questão de sorte.

Impressionados com esse desempenho, os estudiosos então colocaram o homem para caminhar, sem bengala, por um corredor cheio de objetos espalhados pelo chão.[4] Depois de alguma resistência – ninguém quer quebrar o nariz num tombo, mesmo que pelo bem da ciência –, o homem acabou concordando quando lhe garantiram que um acompanhante estaria próximo, para impedir que ele se esborrachasse. E aí a surpresa: o homem cego caminhou pelo corredor desviando corretamente de todos os obstáculos, como se enxergasse tanto quanto eu e você. Não tropeçou em nada e conseguiu evitar esbarrões numa lata de lixo, num cesto de papel e em várias caixas deixadas ali de propósito pelos pesquisadores. Não era truque nem feitiçaria. Foi a tecnologia do cérebro comprovando que nosso inconsciente tem mais cartas na manga do que sonha nossa vã neurociência. O estudo demonstrou que, embora a parte do cérebro responsável pela percepção consciente da visão estivesse arruinada, o inconsciente

---

3 PEGNA, Alan J. et al. "Discriminating emotional faces without primary visual cortices involves the right amygdala". *Nature Neuroscience*, v. 8, p. 24-25, 2005.

4 GELDER, Beatrice de et al. "Intact navigation skills after bilateral loss of striate cortex". *Current Biology*, v. 18, nº 24, 2008.

daquele homem era capaz de receber as imagens e influenciar suas ações com base no que "via".

Esse caso pode, talvez, ser o primeiro passo de um caminho para a ciência pesquisar alternativas de tratamento para a perda da visão – embora ainda faltem muitas evidências sobre o fenômeno do *blindsight* para que surjam práticas clínicas ou medicamentos a partir dele. Mas, se um dia der certo, a descoberta terá cumprido o objetivo primordial de Sigmund Freud, que começou suas investigações do inconsciente com uma única coisa em mente: melhorar a qualidade de vida das pessoas. Não perca as cenas do próximo capítulo.

CAPÍTULO 2
PSICANÁLISE: SOMOS TODOS NEURÓTICOS

Para descobrir as raízes de distúrbios emocionais em mulheres da burguesia de Viena, Freud criou uma terapia revolucionária da psique, na qual as falas do paciente traçam o caminho tortuoso que vai levar até sofrimentos reprimidos – e desejos inconfessáveis.

Anna O. era uma garota de brilho próprio: bondosa, gente fina e com uma inteligência acima da média. Vivesse nos dias de hoje, talvez brigasse pelos direitos das minorias, fosse dos Médicos Sem Fronteiras ou tivesse uma banda – no mínimo, faria sucesso com um canal só dela no YouTube. Mas Anna O. foi jovem na segunda metade do século XIX, em Viena, nascida e criada numa família da burguesia judaica ortodoxa – ambiente nada acolhedor para meninas fora do padrão espera-marido. Um exemplo: apesar de apegada aos livros, queixava-se de ter oportunidades medíocres de estudo, enquanto um irmão, sem a mesma vocação, tinha todo o incentivo – e os investimentos – dos pais. Para ela sobravam o bordado e o piano – para tocar só dentro de casa, que fique claro.

Aos 22 anos, sem nunca ter tido um namorado, amava incondicionalmente o pai e obedecia, sem entusiasmo, às ordens da mãe severa, com quem não se dava bem. Para transcender a monotonia e as censuras do cotidiano, restava viver num mundo de fantasia: em pensamento, era personagem de contos de fadas, princesa e heroína sem que ninguém soubesse, sem que isso atrapalhasse o papel de moça conformada. Toda uma juventude, que poderia ter sido plena de experiências, trancada numa mente sem via de expressão.

Essa história tinha tudo para ser só mais uma entre as de tantas vidas opacas, naquela cidade e naquela época. Mas, a partir de julho de 1880, a trajetória de Anna O. deixou de ser só *mais uma*. Foi quando seu pai, um rico comerciante de cereais, teve um abscesso relacionado à tuberculose e ficou de cama por quase um ano. Até que morreu.

Desde o início dessa doença, Anna O. instalou-se ao lado do pai, dia e noite. Estava obstinada em ser a melhor enfermeira que alguém pudesse ter. Só que, como vimos, não adiantou. À medida que o estado do pai só piorava, a filha foi tomando consciência da realidade dos fatos: a única pessoa que ela amava estava indo embora.

Foi justamente nesse período de agravamento da situação que começaram a surgir em Anna sintomas tão estranhos quanto inexplicáveis. Primeiro, foi uma tosse nervosa, sem motivo físico. Depois a moça ficou estrábica de uma hora para outra. E daí em diante só piorou, a ponto de a afastarem do pai: paralisias no braço e na perna do lado direito, insensibilidade no cotovelo, estreitamento da visão (num buquê de flores, só enxergava uma flor de cada vez). Também começou a repudiar qualquer alimento, mesmo sentindo fome, e a ter episódios de fúria e alucinações (via serpentes negras no lugar dos cabelos). Chegou ao extremo de esquecer a própria língua (durante um período, essa menina austríaca só conseguia se expressar em inglês). Também tentou o suicídio.

Outra família talvez tivesse trancado Anna O. num manicômio, que era o que a maioria fazia nessas condições, mas a dela decidiu apostar nos cuidados do fisiologista Josef Breuer (1842-1925). Uma decisão acertada.

O médico logo reparou que a paciente tinha apagões ao longo do dia, quando parecia estar em outro mundo. E que, nesse estado, ela pronunciava palavras soltas de quando em quando, como se fizessem parte de uma história que Anna estivesse contando a si mesma. Até que, numa dessas ausências, alguém por perto mencionou, totalmente por acaso, uma das palavras que ela tinha dito. Ao ouvir o som da palavra sendo repetida, Anna O. imediatamente começou a contar uma história, a história que continha aquela palavra – uma narrativa que, até então, estava apenas nos seus pensamentos. E o mais incrível: conforme falava, alguns de seus sintomas diminuíam, e ela parecia ir se acalmando... até que despertou do apagão, num estado muito melhor.

Percebendo isso, sua família resolveu tentar a experiência de novo: passaram a repetir algumas das palavras que Anna O. balbuciava, fazendo com que ela contasse novas histórias e, assim, fosse se apaziguando.

Breuer, obviamente, foi alertado. Então, para aprimorar esse sistema e conseguir provocar as narrativas a qualquer momento, o médico começou a hipnotizá-la. No meio dos transes, pedia novas histórias e solicitava também que ela falasse sobre situações do dia anterior que a teriam perturbado. A conexão entre a melhora da garota e o falatório ficou tão evidente que, se numa determinada noite não houvesse sessão de hipnose, na manhã seguinte Anna O. precisava falar o dobro do tempo com Breuer para conseguir melhorar. A sensação do médico era de que, nessas sessões, a paciente conseguia descarregar todas as angústias que ia acumulando ao longo do dia (como se um computador cheio de vírus precisasse ser formatado uma vez por dia para funcionar direito). E a própria Anna O. teve essa impressão. Em seus momentos de lucidez, que iam aumentando cada vez mais, reconheceu que melhorava graças ao processo. Ainda se expressando em inglês, ela mesma batizou o tratamento de *talking cure* – "cura pela fala" –, associando essa descarga de emoções negativas a uma *chimney sweeping* – "limpeza de chaminé".

Um pouco mais adiante, Breuer decidiu pedir, durante a hipnose, que Anna O. falasse também sobre as emoções que tivera na época em que os sintomas começaram. E ficou espantado quando, por causa de uma fala a respeito desse período, um dos transtornos sumiu – justo um associado à história que ela contou. Foi o seguinte: Anna O., durante um tempo, sentia repulsa a qualquer tipo de líquido. Mesmo passando sede, só conseguia ingerir a água presente em alimentos, como nos melões. Isso durou até esse dia em que, sob hipnose, falou ao médico sobre uma dama de companhia, uma mulher de quem não gostava. Contou especificamente de uma ocasião em que, morrendo de nojo, viu o cachorrinho dessa empregada bebendo água direto de um copo. Ao descrever a lembrança, ainda hipnotizada, acabou pedindo a Breuer um pouco de água e despertou do transe em meio aos goles. Mal acreditou que estava bebendo de novo, agora sem nojo nenhum. Estava curada – pelo menos desse problema.

O fisiologista imediatamente percebeu a relação de causa e efeito: a descrição de uma emoção incômoda, antiga, que não era lembrada conscientemente, fez com que um sintoma fosse removido. Breuer achou tão bom que tentou de novo e de novo – voltou a pedir que ela descrevesse situações traumáticas do passado. Logo, uma contratura da perna, que tinha surgido sem motivo físico, acabou desaparecendo. E assim também médico e paciente descobriram juntos a origem da tosse nervosa: numa hipnose, Anna O. disse que o problema tinha aparecido do nada quando, ainda na época em que cuidava do pai, ela ouviu música dançante numa casa vizinha. Naquele momento, a moça tinha desejado, ainda que só por um instante, também estar naquela festa – em vez de trancada em casa cuidando de um doente. Constatou então que a tosse voltava sempre que ouvia qualquer música mais agitada: uma autocensura pelo desejo impróprio. Relatada a situação original desse sentimento de culpa, a tosse desapareceu.

"A partir dessas descobertas – de que os fenômenos em Anna O. desapareciam logo que o episódio que provocara o sintoma era reproduzido na hipnose –, desenvolveu-se um procedimento técnico terapêutico", explica o próprio Josef Breuer no livro *Estudos sobre a histeria* (1895), que conta essa história pioneira de tratamento pela fala e do qual foi coautor ao lado de um amigo neurologista: Sigmund Freud.

Dos tratamentos de oito mulheres descritos na obra pelos dois médicos, o de Anna O. – todas aparecem com nomes fictícios para preservar a identidade das pacientes – é o de maior importância histórica. Estava ali, na catarse pela fala transformada em processo terapêutico, a gênese da psicanálise – termo que só surgiria um ano depois da publicação do livro. A grande invenção de Freud é uma adaptação confessa da descoberta do colega fisiologista – Josef Breuer, um nome que a maioria das pessoas que passam por sessões de psicanálise ignora.

MAL DO SÉCULO

Anna O. era uma histérica. Mas não pense na ideia que fazemos hoje em dia de pessoa histérica – gente com reações descontroladas e irracionais por coisas à toa, pequenos riscos e contrariedades. Como a criança que se joga no chão e tem um "ataque histérico" na loja do shopping porque os pais lhe negam um brinquedo, ou a pessoa que grita como se fosse morrer por ter visto uma barata. O conceito de histeria no século XIX era outra coisa – e coisa de mulher. Pelo menos era o que se pensava na época.

A palavra "histeria" vem do termo grego *hystera*, que significa "útero". Essa ideia veio da Antiguidade: o grego Hipócrates, considerado o "pai da medicina", achava que a histeria era uma doença orgânica, provocada por uma circulação irregular do sangue, saindo do útero da mulher e indo para o cérebro. Ou seja, os homens estariam imunes, claro. Já nos tempos de Freud, era considerada histérica a pessoa – geralmente mulheres, mas não só elas – que tinha quadros clínicos variados sem um motivo físico aparente – como as paralisias de Anna O. Valiam também algum tipo de cegueira, um problema respiratório, vertigens, desmaios etc. Era um diagnóstico tão vago quanto o de "virose" hoje em dia, mas mais perigoso: qualquer probleminha que um médico fosse incapaz de identificar – o que acontecia muito naqueles tempos – podia render uma internação forçada em hospitais e manicômios, levando mulheres sadias ao encarceramento.

Naquela época, a medicina caracterizava uma doença pelo tipo de lesão que a provocava – e podia ser lesão no cérebro também, o que geralmente era a primeira suposição dos médicos quando esbarravam num transtorno mental. Sem lesão, sem doença. Daí o fato de muitos especialistas acharem que as histéricas eram mentirosas, que fingiam seus problemas – o que não era o caso – para chamar atenção. Outros doutores simplesmente se viam impotentes diante de um quadro clínico que não conseguiam explicar. E aí, pronto, jogavam suas pacientes em hospitais psiquiátricos, onde elas ficavam esquecidas.

A Viena de um século e meio atrás era o cenário perfeito para a histeria, por todo um aspecto cultural que se encaixava nessas manifestações. Diferentemente dos dias de hoje, quando as pessoas têm ansiedade pela combinação indigesta entre vazio existencial e excesso

– de comunicação, de exposição, de entretenimento, de informações –, no século XIX as pessoas eram muito reprimidas, tanto na sua sexualidade quanto na sua liberdade de expressão. E a coisa era muito pior para as mulheres. Inclusive para as da burguesia, porque um sinal de status econômico do vienense era justamente ter mulheres ociosas. Sim, se o maridão mantinha uma esposa e filhas olhando para o teto em casa, sem nada para fazer, isso significava que ele podia pagar quem fizesse: a criadagem.

Dessa situação de cidadã de segunda classe, figurante da personalidade do marido, obediente e quietinha no seu canto, proibida em todos os seus desejos, é que vinha esse distúrbio: um transtorno na mente que se desenvolve em sintomas físicos e psíquicos, mas sem causa orgânica. Acha que é frescura? Tente passar uma semana, um mês, um ano da sua vida dentro de casa... O.k., é provável que você tenha passado por isso – em maior ou menor tempo, dependendo do seu juízo – ao longo da pandemia de coronavírus. Mas e sem celular e internet, como seria?

De certa forma, a histeria do século XIX tinha algo em comum com o nascimento do rock nos anos 1950. Assim como as burguesas da época de Freud, os adolescentes do pós-guerra não tinham voz na sociedade e encontraram uma válvula de escape. Tanto umas como outros tendo convulsões à sua própria maneira, esperneando para serem ouvidos. "Para exprimir sua aspiração à liberdade, as mulheres não tinham outro recurso senão a exibição de um corpo atormentado", afirmou a historiadora e psicanalista francesa Elisabeth Roudinesco, biógrafa de Freud.

A história da psicanálise começa justamente com Sigmund levando a sério a "frescura" dessas mulheres reprimidas e encontrando ferramentas para tratá-las. Mas ele só começou a achar que isso fosse possível depois que conheceu o trabalho de um médico francês genial, descobridor do aneurisma e das causas das hemorragias cerebrais: o neurologista Jean-Martin Charcot (1825-1893).

PSICOSSOMÁTICAS

Charcot chamou atenção no Hospital Salpêtrière, em Paris, por fazer demonstrações com pessoas histéricas sob efeito de hipnose. Durante o transe, ele conseguia remover completamente o sintoma do paciente: fazia alguém com paralisia nas pernas voltar a andar, ou um suposto cego enxergar novamente. Mas ele não curava a histeria – passado o transe, os sintomas voltavam.

O importante dessas experiências é que Charcot conseguiu comprovar hipóteses fundamentais para que os transtornos viessem a ter um tratamento adequado no futuro. Ele provou ao mesmo tempo que a histeria não era caso de possessão demoníaca, como acreditavam os medievais, nem era provocada por uma lesão física – não há hipnose que faça um paralítico andar ou um cego voltar a ver. (De quebra, ele ainda expôs à comunidade médica que homens também podiam ser histéricos, para a revolta de muitos colegas.)

O que existia por trás do sofrimento dessas pacientes só podia ser uma doença de caráter neurótico: um conflito mental que algum mecanismo misterioso transformava em problema físico. E isso fascinou um dos ouvintes mais atentos das apresentações de Charcot no Salpêtrière: Freud, óbvio, que passou uma temporada em Paris para buscar os *insights* que não encontrava entre a classe médica vienense.

A identificação de Freud com Charcot foi imediata. No ápice de sua fama, o cientista francês foi chamado de "Napoleão das neuroses", já que era uma autoridade em alterações patológicas do organismo com origem psíquica – no conceito que se fez das neuroses naquela época, além da histeria, encaixaram-se o comportamento obsessivo e as fobias... sempre transtornos relacionados com ansiedade.

Charcot, aliás, foi acusado de falta de ética por atentar contra a dignidade dos pacientes nessas apresentações. E os acusadores tinham razão: o francês não estava tratando a histeria das pessoas, apenas as usava como cobaias para provar suas teorias. Para Freud, no entanto, isso pouco importava. As palestras de Charcot haviam fornecido a iluminação que ele tanto procurava: se a hipnose, que causa uma alteração no estado de vigília, permitia que um médico eliminasse sintomas histéricos, é porque esses problemas têm origem numa outra parte da mente, muito além da nossa consciência. Sinal de que, além de uma realidade material, palpável, com a qual a gente lida racionalmente, existe uma realidade psíquica fora do nosso alcance.

Você já viu aqui que a morada dessa outra realidade é o inconsciente. Restava a Freud descobrir como acessá-lo. Até que a experiência de Josef Breuer com a histérica Anna O. abriu uma porta que jamais seria fechada.

DA CATARSE À PSICANÁLISE

A terapia que recebeu o nome de psicanálise é uma derivação do método catártico praticado por Josef Breuer – aquele processo todo que curou Anna O. Freud sempre deu esse crédito ao amigo, e descreveu esse tratamento no artigo "O método psicanalítico de Freud": "[o tratamento de Breuer] pressupunha que o doente fosse hipnotizável e se baseava na ampliação da consciência que sucede na hipnose. Tinha como objetivo a eliminação dos sintomas, e o alcançava fazendo o paciente retornar ao estado psíquico em que o sintoma surgira primeiramente. No paciente hipnotizado afloravam lembranças, pensamentos e impulsos até então ausentes de sua consciência, e depois que ele comunicava ao médico esses eventos psíquicos, sob intensas manifestações afetivas, o sintoma era superado e o seu retorno não ocorria". Os casos narrados em *Estudos sobre a histeria* envolveram predominantemente tratamentos catárticos ou hipnóticos.

Para Breuer, e para Freud na época, a eficácia terapêutica dessa catarse estava na possibilidade de descarga, via hipnose, de uma emoção reprimida, ligada a algum tipo de trauma que não tinha chegado à consciência.

Freud tinha até uma interpretação própria para a origem desse trauma. Acreditava que a dissociação mental que resultava na histeria vinha de uma autodefesa da mente contra uma lembrança insuportável: especificamente a de ter sido abusado na infância por um adulto, geralmente pelos pais – uma ideia, aliás, da qual Breuer não assinava embaixo de jeito nenhum. Essa proposta era baseada em relatos que Freud ouvia de suas pacientes, e ficaria conhecida como sua Teoria da Sedução. Mas ele logo veio a perceber que a conta não fechava. Para que todo mundo que passava pelo seu consultório tivesse de fato esse histórico de abuso, seriam necessários mais pais e mães molestadores de crianças do que o bom senso permitiria acreditar. Além disso, Freud foi notando que muitos dos relatos de seus pacientes traziam contradições, exageros... fantasias. E assim foi mudando sua teoria da psicogênese das neuroses – como faria com várias de suas ideias ao longo da vida.

Num primeiro momento, assim que rejeitou a Teoria da Sedução, passou a crer que o trauma ainda fosse sexual, o.k., mas não gerado por uma lembrança, e sim por uma fantasia do neurótico: era o desejo sexual que a criança sentia por um dos pais que criava o pensamento reprimido, resultando num sofrimento psíquico. Depois, Freud sofisticaria sua teoria, apontando que histerias e outras neuroses viriam de um conflito mental entre nossos desejos e nossas autocensuras (como veremos com mais profundidade na terceira parte deste livro, quando trataremos da segunda tópica freudiana).

Aliás, falando em neurose, é bobagem xingar alguém de neurótico. Para Freud, neuróticos somos todos nós: pessoas que têm conflitos internos e lidam com eles por meio de repressões mentais. O austríaco diz que todo mundo tem de lidar mentalmente com desejos que precisam de uma boa dose de autocensura. (Só vira sinônimo de distúrbio mental quando o indivíduo não consegue lidar bem com seus conflitos.) Se você nunca reprime os seus desejos, isso é uma evidência de psicose: quando não há barreira entre a sua consciência e as suas vontades mais malucas, de sexualidade e de agressividade – essa, sim, seria uma situação que você pode chamar tranquilamente de loucura. Sem repressão, sua vida viraria um caos; assim como uma sociedade seria caótica – ou psicótica – se deixasse todo mundo tocar fogo no circo.

Assim como foi mudando de ideia sobre a origem dos distúrbios mentais, o gênio de Viena também resolveu mudar de tática nos tratamentos. O primeiro passo foi desistir da hipnose – o que acabou sendo conveniente, já que Freud nunca foi um bom hipnotizador. Seu argumento foi de que nem todo mundo pode ser hipnotizado, por maior que seja a habilidade do terapeuta, e assim a mudança visava a uma aplicabilidade universal da terapia (essa democratização do alcance da psicanálise também seria colocada de lado, diga-se, como veremos ainda neste capítulo).

O substituto que Freud encontrou para a hipnose foram as falas espontâneas dos pacientes – acordados mesmo –, principalmente nas partes mais involuntárias dessas falas, em detalhes que as pessoas descartariam em circunstâncias normais. Um processo que ele chamou de associação livre e que se tornou um dos pilares do tratamento psicanalítico.

É exatamente desses pilares que vamos tratar a seguir, os componentes essenciais de uma sessão de psicanálise clássica nos moldes freudianos: a associação livre, a transferência e a interpretação.

ASSOCIAÇÃO LIVRE

Quando consolidou um processo terapêutico em substituição ao catártico, Sigmund Freud passou a atender em seu consultório da seguinte maneira: tudo começava com o paciente se deitando no famoso divã. A pessoa não precisava fechar os olhos. Freud ficava sentado atrás, perto da cabeça do analisando, para ouvir bem o que ele diria, mas fora do seu alcance de visão – de modo que nada na postura ou semblante do terapeuta pudesse atrapalhar a espontaneidade da pessoa. Então o paciente era estimulado a falar. Não exatamente sobre o problema que o havia feito procurar a psicanálise, mas sobre qualquer coisa que lhe viesse à cabeça. Qualquer coisa. Sem censura, tema ou direcionamento. Não deveria deixar nada de fora, por mais vergonhoso que fosse o seu pensamento – aliás, deveria se esforçar para incluir no relato os detalhes vergonhosos, que qualquer pessoa preferiria omitir. Podia ser um sonho, uma reflexão, uma lembrança, um desejo... ou algo banal que tivesse acabado de acontecer: "Fui comprar meus cigarros na esquina, acabei esbarrando na mulher do vendedor e fiquei impressionado com o tamanho das mãos dela. Depois fui ao teatro e jantei com amigos, mas não consegui parar de pensar naquele encontro na venda". Podia começar assim. Ou não. A partir daí, Freud incitaria o indivíduo a fazer associações. (É importante isto: o próprio analisando é quem faz as associações, não o terapeuta.) Por exemplo, ele podia perguntar no que aquelas mãos da mulher do vendedor o faziam pensar: "As mãos grandes daquela mulher me fizeram agora lembrar do meu pai, que era um sujeito alto... Meu pai morreu de câncer do pulmão... Quando vi a esposa do vendedor, por um segundo achei que lembrava um pouco minha mãe... Faz tempo que não visito minha mãe".

O exemplo aqui é meio óbvio, e não precisa ser doutor em psicologia para arriscar uma interpretação freudiana. Mas a essência da associação livre está presente: ligações feitas entre partes de depoimentos espontâneos. No exemplo que eu dei, talvez o paciente descobrisse, na sessão de psicanálise, que suas crises de ansiedade estão relacionadas a um mal-estar com a mãe, que o censura por fumar muito, igualzinho ao pai que morreu disso. Esse incômodo com a culpa de quem tem um hábito que leva à morte talvez fosse a causa inconsciente de o indivíduo não aparecer na casa da mãe – o que traria mais culpa, um conflito psíquico, por essa ausência.

Freud concluiu que a associação livre era o método ideal de acessar o inconsciente das pessoas. As emoções, lembranças e representações vinham à tona com muito mais facilidade. E vinham de maneira mais confiável que na hipnose. Segundo Freud, a hipnose não permitia que o médico identificasse resistências – as maneiras como o paciente tenta, mesmo sem perceber, manobrar suas falas para que o terapeuta não descubra o conteúdo que a repressão tenta manter oculto. Foi um achado tão importante que Freud considerou esse método da associação livre a "regra de ouro da psicanálise".

Não que fosse perfeito. Psicanalistas logo perceberiam a atitude de pacientes conhecedores da "regra de ouro", que propositalmente passam a falar incoerência atrás de incoerência, com o objetivo de inviabilizar uma interpretação correta.

Não que a coerência seja critério do que vale ou não vale numa sessão psicanalítica. Pelo contrário: na fala do paciente, vale tudo – desde que seja espontâneo, livre de censura ou de premeditação.

TRANSFERÊNCIA

Freud descobriu mais um elemento importante para sua psicoterapia ao tratar de Dora – outro nome fictício, o verdadeiro era Ida Bauer –, uma garota de dezoito anos que, ao longo do tratamento, começou a associar o terapeuta à figura do próprio pai, a quem era muito apegada. Lá pelas tantas, Dora interrompeu de repente o tratamento e se despediu de vez, para nunca mais voltar – um comportamento esquisito porque, até então, as sessões pareciam estar progredindo bem.

Freud reconheceu nesse comportamento uma vingança contra um pai simbólico – ele, no caso –, que não atendia às vontades da menina. E entendeu que era fundamental identificar essa tendência de os pacientes substituírem alguém importante de suas vidas pela pessoa do terapeuta. Porque isso poderia apontar sinais de desejos inconscientes.

Para esse processo ficar mais claro, vale a pena explicar o que é o *setting* na clínica psicanalítica. São os arranjos práticos que organizam a interação de terapeuta e analisando: o horário das sessões, a forma como o analisando ficará acomodado – na psicanálise clássica, deitado de costas para o terapeuta, mas outras terapias que usam conceitos da psicanálise colocam os dois sentados frente a frente –, o estilo do terapeuta – alguns nem dão bom-dia para o analisando, e isso pode ser dito nessa combinação inicial –, a duração das sessões, a duração do tratamento e, inclusive, a data certa de o analisando pagar pelas sessões.

Certo, mas o que isso tudo tem a ver com a transferência? Muita coisa. Por exemplo, se o analisando começa a atrasar o pagamento, ao mesmo tempo que fala na associação livre sobre sua rotina de esbanjar dinheiro – ou seja, grana não lhe falta –, o terapeuta pode identificar aí um desejo de magoar um pai ou uma mãe, deslocados para a figura do psicanalista – que, coitado, é quem fica esperando pelo dinheiro. Outras desobediências, como chegar atrasado ou ficar em pé durante a sessão – contrariando a combinação de que deveria estar sempre deitado –, revelam também indícios de transferência.

Daí a necessidade de uma contratransferência, que basicamente é o terapeuta identificar como esses deslocamentos acontecem e usar essa percepção a seu favor – dando o melhor rumo possível ao tratamento. Quem seria a pessoa que o analisando está transferindo para a figura do terapeuta? Sua mãe? Sua namorada? Seu *personal trainer*?

Claro que não é tão fácil assim. O que fazer, por exemplo, quando o analisando parece estar apaixonado pelo psicanalista, transferindo para essa pessoa um desejo reprimido por outra?

O terapeuta não pode misturar as coisas. Não pode ceder a arroubos românticos nem sair do sério por causa dos desrespeitos que a transferência pode provocar. Para ter esse sangue-frio e investigar seus próprios sentimentos para com essa interação delicada, recomenda-se que também o terapeuta passe por sessões de psicanálise. O inconsciente alheio é uma terra que pode ser bastante hostil, e é comum buscar reforços.

INTERPRETAÇÃO

Durante um período complicado de sua vida, na época em que seu pai morreu, Freud fez autoanálise. Passou a interpretar os próprios sonhos, suas lembranças e pensamentos para chegar a conclusões sobre sua personalidade – um exercício de autoconhecimento. Mas não tente repetir isso em casa. A interpretação dos conteúdos inconscientes que chegam à consciência só pode ser feita por um psicanalista treinado. Os pensamentos que emergem da associação livre, por exemplo, raramente fazem referência direta ao conflito psíquico. "É bem raro que as lembranças verdadeiramente patogênicas se encontrem assim na superfície", disse Freud. Segundo ele, o que costuma surgir é um pensamento que é um ponto de partida para a emoção buscada, ou mesmo um elo dessa corrente de associações que vai chegar à chave do enigma – como se, de um filme surrealista, você tivesse só algumas cenas do meio.

É também no exercício da interpretação que o analista identifica a repressão agindo. Desde o momento em que o indivíduo conta para o terapeuta por que buscou a psicanálise, eventos reais são esquecidos, a ordem cronológica pode ser alterada e nexos causais são rompidos. Há uma verdadeira resistência contra a recuperação de certas lembranças. "Não existe caso clínico neurótico sem amnésia de alguma espécie", apontou Freud. "Se instamos o narrador a preencher essas lacunas da memória com um maior esforço de atenção, notamos que os pensamentos que então lhe ocorrem são rechaçados, até que ele sente um mal-estar quando a recordação se apresenta de fato." Nesse mal-estar do indivíduo, o psicanalista é capaz de identificar as forças psíquicas que provocam uma repressão – caminho certo para os conflitos ocultos.

A interpretação nada mais é que uma intervenção com o objetivo de fazer o analisando compreender significados inconscientes manifestos na sua fala. Mas isso não quer dizer que o psicanalista vá ficar explicando tudo a toda hora para o paciente – embora, só para contrariar a regra da própria psicanálise, Freud gostasse de ficar explicando. O processo de interpretação busca confirmar o entendimento do terapeuta, trazendo de volta à sessão algumas falas do analisando, incitando-o a falar mais sobre o assunto. Na psicanálise clássica, não espere respostas do analista para as suas dúvidas existenciais. Ele não vai explicar nada. Vai apenas agir como um facilitador para que você chegue sozinho às suas conclusões. (Em outras psicoterapias, porém, há conversas sobre o sentido das coisas. Depende da linha do terapeuta, algo que deve ficar claro antes de a terapia começar.)

Um exemplo dessa intervenção que pode acontecer na psicanálise: o rumo das associações livres dá sinais de que uma mulher adulta tem hostilidade em relação à sua irmã dois anos mais nova, quer excluí-la de tudo o que faz parte da sua vida – e talvez tenha um desejo inconsciente de que a irmã morra. Então o terapeuta, nesse sentido de confirmar uma impressão e ajudar a pessoa a chegar às suas próprias verdades, pode questionar: "Você acha que, quando sua irmã nasceu, você se sentiu preterida, já que sua mãe ganhou um bebê para cuidar e transferiu parte da atenção que tinha com você para essa criancinha? E agora, que ela é tão adulta quanto você, qual é o seu sentimento em relação a ela?".

Outro equívoco, para o qual Freud não cansava de alertar, são os exageros.

Um clichê dos estereótipos ligados à psicanálise é ficar querendo interpretar tudo: a "mania de interpretação", pela qual se tenta fazer brotar uma verdade oculta onde não existe nada. Discípulos de Freud viam símbolos sexuais em todo discurso, de forma até delirante – "às vezes, um charuto é só um charuto" é uma frase atribuída a Freud, e que faz todo o sentido aqui.

Mas os riscos da má interpretação vão além da mania. Há terapeutas que se apegam a um tema, ou formam uma ideia preconcebida a respeito do paciente, e sempre interpretam as falas de modo que a narrativa se encaixe a essa visão. Outros exercem o que Freud chamou de "psicanálise selvagem": atirar no rosto do paciente, logo na primeira sessão, os significados que o terapeuta "descobriu" – ou, melhor dizendo, adivinhou. Esse tipo de interpretação não tem como dar certo, já que, num primeiro contato, é impossível o analista ter um conhecimento sequer mediano dos conflitos psíquicos da pessoa, de suas resistências etc.

O problema de muitos desses exageros é que a finalidade da interpretação parece que fica sendo... a interpretação em si. Mas não. O objetivo da boa interpretação, ao fazer com que conflitos inconscientes se tornem conscientes, é contribuir para o autoconhecimento do indivíduo e melhorar a sua vida. E isso não quer dizer que a psicanálise vai mandar para o espaço um conflito, um trauma, uma lembrança dolorosa. A ideia é que, descobrindo a questão que te incomoda, você possa lidar melhor com ela. Ponto.

O problema daquela ansiedade é um desejo de competir com o pai ou uma insatisfação com o rumo da sua carreira? Melhor entender logo que esses sentimentos existem para poder refletir ou tomar uma decisão. "O que você sabe de ruim sobre você, você controla. O que você não sabe pode te controlar", explicou o psicanalista Pedro de Santi, num curso realizado na Casa do Saber, de São Paulo. "A psicanálise é o avesso da autoajuda porque mostra que é importante ter contato com aquilo que dói. A atitude de só querer ter pensamento positivo o tempo todo é uma forma de reprimir seus sentimentos dolorosos, o que vai ter consequências lá na frente."

Ou seja, nunca vai chegar aquele momento transcendental em que o psicanalista vai virar para você e dizer "parabéns, você está curado". A psicanálise não foi inventada para isso. O próprio Freud era questionado por pacientes sobre a validade da terapia, já que nunca seria capaz de eliminar as circunstâncias que provocam os conflitos internos das pessoas. A isso, Freud respondia desta forma: "De fato, não duvido que seja mais fácil para o destino do que para mim eliminar seu sofrimento. Mas você se convencerá de que muito se ganha se conseguirmos transformar a sua miséria histérica numa infelicidade comum. Desta última você poderá se defender melhor com uma vida psíquica restabelecida".

CONTRAINDICAÇÕES

Num texto de 1905, "Psicoterapia", escrito originalmente para uma conferência no Colégio Médico de Viena, Sigmund Freud relacionou algumas contraindicações – situações (e pessoas) que deveriam ser evitadas na prática clínica pelos psicanalistas. Vamos às quatro principais.

Se o paciente não for gente boa, o tratamento não vai prestar.
"Recusem-se os doentes que não têm certo grau de educação e um caráter razoavelmente confiável."

Descartar os muito loucos.
"Psicoses, estados de confusão e de abatimento profundo (tóxico, poderia dizer) também são inadequados."

Cinquentões para cima não têm mais jeito.
"Próximo ou depois dos cinquenta anos, costuma faltar a plasticidade dos processos psíquicos de que depende a terapia." Freud já havia explicado isso melhor no livro *Estudos sobre a histeria*: "A massa de material psíquico [dos mais velhos] já não pode ser dominada, o tempo necessário para a recuperação se torna muito longo, e a capacidade de desfazer os processos psíquicos começa a fraquejar".

A psicanálise não é pronto-socorro, não funciona para casos de urgência.
"Não se deve recorrer à psicanálise quando se trata de eliminar rapidamente manifestações ameaçadoras."

Para Freud, a psicanálise só dava os melhores resultados em pessoas inteligentes, de boa índole e que estivessem plenamente de acordo com o tratamento, dispostas do fundo do coração a colaborar com a terapia. O método da associação livre não seria adequado a gente com má vontade para falar ou incapaz intelectualmente de fazer as relações que o analista estimula. "Freud sempre considerava o tratamento psicanalítico inapropriado para pessoas estúpidas, incultas, muito idosas, melancólicas, maníacas, anoréxicas ou em estado episódico de confusão histérica", revela Elisabeth Roudinesco. Mas Freud não era, de maneira alguma, um estrito seguidor dessas regras. "Poderíamos pensar, a crer em seu fundador, que a psicanálise se destina exclusivamente a sujeitos cultos, capazes de sonhar ou fantasiar, conscientes de seu estado, preocupados com a melhora de seu bem-estar, detentores de uma moralidade acima de qualquer suspeita e curáveis em poucas semanas ou meses. Ora, sabemos perfeitamente que a maioria dos pacientes que iam à Berggasse [a rua onde ficava o consultório de Freud] não correspondia a esse perfil."

Sim, teve muita gente perturbada entre os 170 indivíduos que se trataram com Freud – pessoas que tinham como denominador comum uma origem na burguesia endinheirada. A maioria era de judeus, como ele próprio. E muitas dessas pessoas não chegaram a Freud por livre e espontânea vontade, mas forçadas por parentes; tinham neuroses às vezes suaves, mas às vezes eram casos graves, que chamaríamos hoje em dia de psicoses. Sim, loucos.

Se Freud não obedecia às próprias regras, muito menos tinha qualquer compromisso com as diretrizes técnicas que se consolidaram entre os psicanalistas do mundo todo. Sabe-se que esses profissionais não devem analisar pessoas próximas, uma vez que esse conhecimento prévio pode influenciar a interpretação do que é dito pelo indivíduo. Mas Freud analisou por muito tempo sua filha Anna – que se tornaria uma das psicanalistas mais conhecidas da história – e também outros parentes, amigos, discípulos e os cônjuges dessas pessoas todas.

Além disso, hoje em dia, quem quer se tornar psicanalista precisa também se submeter a terapia e depois passar por uma supervisão. Freud não apenas nunca se deitou no divã de outro psicanalista como ainda admitiu ter analisado a si próprio. E isso vai contra um dos pontos de partida da psicanálise: a necessidade de um interlocutor. Porque o mecanismo da terapia reside no espelhamento: mostrar para o analisando aquilo que ele está mostrando para o terapeuta. Se a análise de uma pessoa conhecida já envolve o risco de influenciar as interpretações, imagine quanto há de distorção numa autoanálise...

Mas vá dizer isso a Freud – foi ele quem inventou a coisa toda.

DÁ UM ABRAÇO?

O fato é que a psicoterapia praticada por seu inventor não era parecida com o que os especialistas chamariam hoje de uma consulta adequada. Para se ter uma ideia, Freud fumava charuto nas sessões – e não oferecia aos pacientes, o que deixava alguns chateados. Ele também falava durante a sessão muito mais do que um terapeuta freudiano falaria atualmente. Explicava muito sobre o processo da psicanálise, interpretava bastante durante a sessão e, pior, falava da sua própria vida e expunha suas preferências políticas, entre outras opiniões.

Dessa forma, atendia oito pacientes por dia, cinquenta minutos por sessão. E o tratamento era intenso: cada paciente comparecia em média seis vezes por semana. (Hoje mesmo, na psicanálise clássica, dificilmente um terapeuta vai aceitar um analisando que não se submeta a, pelo menos, três sessões semanais, o que demanda disposição e dinheiro por parte da pessoa interessada.)

Embora uns raros pacientes tivessem tratamentos muito longos, de idas e vindas, Freud não costumava passar de uns meses com a mesma pessoa em seu divã. Se não conseguia algum tipo de sucesso nesse período, desanimava e acabava desistindo.

Essas regras técnicas mudaram muito de Freud para cá, e ainda hoje continuam alvo de debate e transformação. Ao longo desse tempo, curiosamente, ainda que com a boa intenção de aprimorar essas diretrizes, alguns psicanalistas importantes tiveram iniciativas bastante heterodoxas – para ficar num termo suave. Ou bem estranhas mesmo.

Considerado um dos maiores psicanalistas de todos os tempos, Sándor Ferenczi (1873-1933), colaborador íntimo de Freud, inventou em 1919 o princípio da técnica ativa: em vez de apenas interpretar o que o paciente diz, o terapeuta deveria intervir bastante ao longo da consulta, dando ordens e fazendo proibições. Até aí, aos olhos de um leigo, nada de mais. Só que Ferenczi radicalizou.

Querendo permitir a identificação do analisando com um genitor amoroso, que eventualmente tivesse sido ausente na infância da pessoa, Ferenczi incentivava alguns pacientes a lhe dar abraços e beijos. É... e suas ideias extremas não pararam por aí. Em 1932, ele surgiu com o conceito de análise mútua, uma verdadeira troca de papéis: era o analisando quem conduziria a terapia. O terapeuta podia inclusive se deitar no divã no lugar do paciente e, dependendo do caso, até lhe pagar pela sessão.

A VERDADEIRA ANNA O.

Foi apenas em 1953, mais de meio século após a publicação de *Estudos sobre a histeria*, que o mundo veio a conhecer a verdadeira identidade de Anna O. Seu nome era Bertha Pappenheim (1859-1936), uma jovem amiga de Martha Bernays – a esposa de Freud. A revelação foi feita no livro *A vida e obra de Sigmund Freud*, por seu biógrafo Ernest Jones, e desagradou muito os herdeiros de Bertha. Até porque ninguém que a conhecesse mais velha poderia ligar a mulher de carne e osso à personagem atormentada que deu início à história da psicanálise.

Bertha Pappenheim foi uma figura importante do feminismo judeu alemão, fundando uma organização para promover a emancipação da mulher por meio do trabalho. Em 1922, escreveu: "Se houver justiça no mundo de amanhã, esta será: as mulheres farão as leis, e os homens trarão os filhos ao mundo".

Ela se manifestou contra a partida dos judeus da Alemanha, desafiando Hitler, e também foi ativista de causas humanitárias, viajando pelo mundo para estudar e combater o tráfico de escravas brancas. Como se não bastasse, foi ainda diretora de um orfanato e escreveu peças de teatro para crianças. Uma supermulher. Nada mais distante daquela imagem que vimos no começo deste capítulo, da garota fechada em si mesma, cujo corpo sofria porque a mente não tinha canais de expressão. Aquela personagem, uma construção do texto de Josef Breuer, talvez correspondesse mesmo à Bertha mais jovem, antes de passar pelo tratamento catártico. Mas será? Bertha Pappenheim nunca quis falar do seu tratamento com Breuer e proibiu sua família de fornecer qualquer informação sobre esse período da sua vida. Passou a ser uma mulher hostil à psicanálise e aos psicanalistas.

Fato incontestável mesmo é que a epidemia de histerias no fim do século XIX – o suposto problema de Anna O. / Bertha – foi tão fundamental para o surgimento e a expansão da psicanálise que a própria definição da doença se transformou, tornando-se um conceito totalmente associado às teorias de Freud. O diagnóstico genérico de histeria fragmentou-se em diversas outras doenças, mais específicas de acordo com cada manifestação – e geralmente mais associadas à psicose que à neurose.

Hoje, é difícil encontrar alguém que chame uma doença de histeria. Na primeira versão do *Manual diagnóstico e estatístico de transtornos mentais* (DSM), de 1952, a palavra histeria aparece dezesseis vezes, sem descrições minuciosas, em exemplos como "surdez histérica", "paralisia histérica da laringe", "incontinência histérica", "histeria de angústia"... A partir da terceira edição do manual, de 1980, o distúrbio que levou o pai da psicanálise à investigação do inconsciente desaparece de vez desse guia dos psiquiatras.

Mas o estudo de Sigmund Freud sobre as profundezas da mente foi muito além da construção de um método terapêutico visando às histéricas. O termo psicanálise serve tanto para designar a psicoterapia que abordamos agora quanto, num sentido mais amplo, para dar nome à disciplina que ele fundou e que abrange as suas teorias.

E uma das mais fascinantes entre elas é a que vamos ver no capítulo seguinte: a interpretação dos reflexos, na consciência, da bagunça que o inconsciente faz durante o nosso sono, quando a mente inventa os filmes mais malucos e sem pé nem cabeça que você já viu na vida. São os curtas-metragens surrealistas que a gente chama de sonhos.

CAPÍTULO 3
O SONHO É UMA REALIZAÇÃO DE DESEJO

Não, ninguém da família vai morrer porque você sonhou com um dente. Segundo Freud, aquilo que lembramos dos nossos sonhos são distorções de fantasias voluptuosas e vontades terríveis que escondemos de nós mesmos – mas que buscam uma válvula de escape.

Foi na casa da atriz Jane Asher, sua namorada na época, que Paul McCartney teve um sonho que entraria para a história da música pop. O ano era 1964. Em vez de sonhar que havia saído de casa pelado ou que voava sobre Liverpool – sonhos típicos, como você verá a seguir –, o beatle sonhou com uma melodia. E não qualquer melodia. Era uma música tão doce e delicada que Paul tratou de não esquecer – o que acontece com a maioria dos sonhos pouco depois que abrimos os olhos. Já que havia um piano ao lado da cama, começou a tocar e ligou o gravador. Então, para sua surpresa, percebeu que havia sonhado com a melodia completa de uma canção. Pensou que deveria ter ouvido a música em algum lugar, mas, por mais que tentasse, não conseguia lembrar onde ou quando. No livro *The Beatles – A história por trás de todas as canções*, Paul recorda: "Por cerca de um mês fui atrás das pessoas no mercado musical e perguntei se já tinham ouvido a música antes. Acabou sendo como entregar algo à polícia. Achei que, se ninguém desse falta em algumas semanas, eu poderia ficar com ela". E ficou. A melodia era original mesmo.

A música ouvida num sonho enfim ganharia letra definitiva, e *Yesterday* se tornaria uma das canções mais populares de todos os tempos, a mais tocada e regravada da história segundo o *Guinness Book* – com versões cantadas por artistas tão diferentes quanto Elvis Presley, Elis Regina, Frank Sinatra e Katy Perry.

Sigmund Freud não estranharia o fenômeno onírico que deu de bandeja a Paul McCartney sua obra mais conhecida. "Tendemos por demais a superestimar o caráter consciente da produção intelectual e artística", afirmou ele, ainda na virada do século XIX para o XX. "Das comunicações de alguns homens altamente produtivos, ficamos sabendo que o essencial e o novo de suas criações lhes foi dado sob a forma de lampejos e chegou à sua percepção quase pronto."

Segundo o pai da psicanálise, não é que os sonhos fossem uma fábrica de novidades. As ideias – sejam para canções pop, projetos de vida ou burradas colossais – vêm da labuta diária do inconsciente, cujo turno é sempre no esquema 24 horas.

Para quem estuda o assunto hoje em dia, essas afirmações de Freud fazem sentido, e a ciência já sabe que o sonho não sai jogando ideias geniais para o alto sem critério. Se você é engenheiro automotivo ou designer de joias, é muito improvável que acorde de um sonho com uma música pronta na cabeça. Talvez surja uma ótima ideia para um carro-conceito ou para um par de brincos digno de um casamento real. "O sonho – tal como outras formas de pensamento desordenado – pode ajudar no processo de indução de uma ideia original, mas somente sobre a base firme de um grande conhecimento daquilo em que se pretende ser criativo", explica o argentino Mariano

Sigman, diretor do Human Brain Project e autor do livro *A vida secreta da mente*. Ou seja, para sonhar com um novo tipo de rede social que vá torná-lo milionário, será preciso antes ser um gênio da programação como Mark Zuckerberg, o criador do Facebook.

Entre essas descobertas recentes da ciência também estão detalhes sobre os mecanismos do sono, com uma especificidade que Freud não tinha como suspeitar mais de um século atrás. Por exemplo, já é possível entender como a criatividade se relaciona com o período em que estamos babando no travesseiro.

Quando você adormece, há uma primeira fase em que a consciência vai se dissipando, ativando no cérebro um processo de consolidação da memória. Já na fase seguinte, a REM (*rapid eye movement*, "movimento rápido dos olhos"), a atividade cerebral é mais complexa, parecida com a que temos quando estamos acordados, e então sonhamos. Nessa fase, são gerados padrões mais variáveis entre os neurônios, com a capacidade de recombinar circuitos existentes. Isso é o cérebro sendo criativo.

Associar o sonho com o estado REM não é novidade. Mas um estudo[5] divulgado em abril de 2017 pela Universidade de Wisconsin-Madison, nos Estados Unidos, não apenas revelou que sonhamos também fora dessa etapa como fez uma descoberta mais importante ainda: identificou quais partes do cérebro são ativadas durante os sonhos. E isso mostrou que, para a nossa mente, sonhar tem muita semelhança com estar acordado. "Os sonhos são uma forma de consciência que acontece durante o sono", explicou o professor de psiquiatria Giulio Tononi, autor do estudo. Um primeiro experimento, que colocou 46 voluntários para dormir, mostrou que, estando ou não o dorminhoco na fase REM, sonhos só surgem quando regiões corticais posteriores do

5 TONONI, Giulio et al. "The neural correlates of dreaming". *Nature Neuroscience*. Publicado online, 10 abr. 2017.

cérebro são ativadas. Já num segundo experimento, em que as pessoas relatavam o que tinham sonhado, o estudo descobriu que a mesma parte do cérebro que entra em ação para reconhecer rostos durante a vigília também dispara quando o indivíduo sonha com pessoas. E que, quando sonhamos que estamos ouvindo gente falando, a chamada área de Wernicke, no lado esquerdo do córtex cerebral, entra em atividade – é a mesma região responsável pela percepção de linguagem quando estamos despertos. Para os pesquisadores, além de ter demonstrado que o cérebro reage ao conteúdo dos sonhos da mesma forma que lida com as informações quando estamos acordados, o estudo prova que os sonhos são experiências que realmente acontecem – e não historinhas que a nossa mente inventa no exato momento em que acordamos.

Para Sigmund Freud, nunca houve dúvida da existência dos sonhos. E, mais que a criatividade capaz de surgir nas noites inquietas, interessava-lhe o papel desse processo noturno na manifestação de desejos inconscientes. Por isso, o que há de revolucionário e permanente naquele que talvez seja o livro mais importante de Freud, *A interpretação dos sonhos*, não é sua tentativa de *traduzir* psicanaliticamente sequências de imagens sonhadas – o que ele faz bastante ao longo da obra, diga-se –, e sim a relação que pode existir entre o sonho e a forma como a nossa mente funciona. "O sonho é a estrada real que conduz ao inconsciente", ele escreveu.

Anotar os próprios sonhos era um dos hobbies de Freud, tanto que mantinha um diário com tudo o que lembrava de ter sonhado. Naquele período difícil de sua vida, em que fez autoanálise, Freud reuniu 160 sonhos para compor um livro – decisão tomada em 1897. Com a exceção de um sonho de infância, todos os outros tinham sido sonhados entre 1895 e 1899, quando ele já era quarentão. Dessa coletânea onírica, setenta foram contados por amigos e parentes –

Freud evitava usar sonhos de pacientes porque achava que condições anormais da psique poderiam sabotar as interpretações.

A noção de que produzia ali uma obra magistral também o fez ver melhor, via autoanálise, o objetivo da coisa toda: o livro que o tornaria famoso era uma reação à morte recente de seu pai, o homem que um dia lhe disse, quando Sigmund era menino, que o pequeno nunca seria alguém na vida.

DO EGITO ANTIGO À ASTROLOGIA

Interpretar sonhos, claro, não foi invenção de Freud. A prática de achar que o sonho significa alguma coisa, e tentar dar sentido a ele, é tão antiga quanto o *Homo sapiens*. Foram egípcios e assírios os primeiros a registrar por escrito essas interpretações. Para os antigos, o sonho era uma forma de comunicação com os deuses, e prevalecia o caráter premonitório. Reis chegavam a contratar *tradutores de sonho* para saber como seria uma batalha ou se o país teria dificuldades econômicas em breve. O livro do *Gênesis*, na Bíblia, traz uma passagem que exemplifica bem essa preocupação dos nossos antepassados com sonhos e pesadelos: é a história de José no Egito.

Bisneto de Abraão – o primeiro dos patriarcas bíblicos –, José é convocado para interpretar um sonho esquisitão do faraó do Egito: ele sonha que sete vacas magras e feias devoram outras sete, gordas e bonitas. E também que sete espigas de milho miúdas e queimadas devoram outras sete, muito mais apetitosas. Então José mata a charada. Viriam sete anos de fartura seguidos de sete anos de terra infértil. Aconselha o faraó a economizar na riqueza para não faltar na hora da miséria.

Coisa de gente primitiva, né? De um tempo em que um raio era encarado como um sinal divino etc. etc. etc. Não é bem assim. A ideia de que um sonho pode ser uma antevisão do futuro permanece forte até hoje – ainda que seja algo tão científico quanto os malefícios de misturar manga com leite.

Quem nunca ouviu que sonhar com dente é sinal de morte na família? Para o astrólogo brasileiro João Bidu, que explica os significados de todo tipo de sonho em sua página na internet, só é morte se o dente estiver apodrecido. Se aparecer bonito e sadio, significa prosperidade financeira à vista. Já perder um dente no sonho, segundo o esotérico midiático, é sinal de que o homem vai perder outra coisa: sua potência sexual. Todo o conhecimento científico que nos separa do Egito Antigo não nos poupou da crença de que os sonhos usam dentes perfeitos ou cariados para expressar seu poder de oráculo.

Já Sigmund Freud, com a pretensão de estabelecer uma análise do sonho que pudesse incorporar à sua "ciência da mente", afastou-se das interpretações premonitórias e dos misticismos. Mas concordou com os antigos egípcios numa coisa: os sonhos faziam sentido, sim. E podiam ser interpretados.

A DREAM COME TRUE

Se alguém lhe perguntar na lata qual é a teoria de Freud a respeito dos sonhos, uma resposta curta e precisa seria esta: o sonho é uma manifestação do nosso inconsciente que, se interpretada, revelará uma tentativa mental de realizar um desejo reprimido. (Não seria à toa que chamamos de sonhos as coisas que desejamos intensamente – e que nos parecem distantes.)

Curta e grossa, a resposta está certíssima. O problema é que vai gerar um monte de outras perguntas. Isso porque nossos pesadelos parecem ser a antítese exata dessa afirmação. Como é que todo sonho expressa um desejo? E o que dizer dos meus sonhos angustiantes nos quais estou sendo assaltado ou devorado por um tiranossauro rex do *Jurassic Park*, ou estou caindo do topo do Edifício Itália? Como eu poderia desejar essas tragédias?

Calma. Freud explica tudo isso. No livro *A interpretação dos sonhos*, as explicações rendem coisa de setecentas páginas. Mas nós vamos direto aos conceitos principais dessa teoria.

Em 1896, pouco antes do lançamento do livro de Freud, duas pesquisadoras americanas, Sarah Weed e Florence Hallam, realizaram um estudo com a análise de 381 sonhos.[6] A conclusão foi de que 57,2% deles eram desagradáveis, com sentimentos negativos como medo, desamparo, vergonha, raiva, desapontamento, desconforto e perplexidade. Sonhos cor-de-rosa, daqueles que nos acordam com vontade de continuar o sonho? Apenas 28,6%.

Sendo assim, como é que os sonhos poderiam ser realizações de desejos, como Freud afirmou? Você não deseja ficar com pavor, não quer se sentir desamparado, envergonhado etc. A questão, segundo Freud, é que o sonho do qual você se lembra quando abre os olhos de manhã é uma construção simbólica, uma tradução toda distorcida, mas menos chocante, do que a sua mente queria manifestar de verdade – e que era originalmente um desejo sendo realizado. Afinal, nossos desejos às vezes podem ser menos digeríveis que os pesadelos mais arrepiantes. Vamos a um exemplo.

Um chefe de família, homem de princípios conservadores, tem um pesadelo em que é perseguido por uma gangue de bandidos – homenzarrões brutos, musculosos e... cheirosos. Hum... Para a mente consciente desse indivíduo, que só se aceita como heterossexual con-

---

6 WEED, Sarah C.; HALLAM, Florence M. "A study of the dream-consciousness". *The American Journal of Psychology*, v. 7, nº 3, p. 405-411. University of Illinois Press, 1896.

victo, não há dúvida de que a noite foi agitada por um pesadelo dos mais terríveis. Mas algumas sessões com um psicanalista poderiam chegar à tentativa inconsciente de realização de um desejo: assumir uma homossexualidade reprimida. Ou não. Depende. Talvez o homem quisesse, secretamente, tomar o lugar do pai na loja de perfumes da família – uma ambição que ele poderia considerar condenável. Diferentemente do que sugere o astrólogo João Bidu, para Freud o mesmo tipo de sonho tem significados distintos de pessoa para pessoa, como veremos logo à frente.

Esse mecanismo que transforma nossos desejos em histórias malucas quando dormimos é o que Freud chama de "trabalho do sonho": um processo que retira o material cru de um pensamento inconsciente e, a partir dele, como um Salvador Dalí, monta a sequência surrealista que é o produto final dessa engrenagem. O ponto inicial do processo, Freud chama de conteúdo latente, e o final, de conteúdo manifesto – que é o mais familiar a todos nós.

Conteúdo manifesto é exatamente o que você costuma chamar de sonho: aquilo que a sua consciência percebeu, a historinha de que você se lembrou. Geralmente, são sequências sem muito sentido aparente – ou sem nenhum sentido.

Já o conteúdo latente – oculto – é a origem e o verdadeiro significado desse filme surrealista. É onde está a tal tentativa inconsciente de realizar um desejo. Para chegar à sua consciência – e assim se transformar em conteúdo manifesto –, esse desejo escondido passa por distorções que a sua mente cria para torná-lo mais palatável para você mesmo. Como no caso do homem que não aceita a própria homossexualidade, o desejo guardado nos cafundós da mente é tão insuportável para a consciência que ela o reprime. (Daí tanta gente ser chamada de reprimida – pessoas que lidariam mal com a própria personalidade porque têm dificuldade de se aceitar como são.)

A repressão no caso do sonho é uma autocensura que impede que nossos desejos mais incômodos cheguem claramente à nossa consciência. Há, portanto, duas forças opostas atuando no trabalho do sonho: de um lado, um desejo inconsciente que quer, sim, se manifestar; do outro, uma censura que quer poupar a consciência dos problemas que essa manifestação traria.

O sonho nasce, portanto, de um dos conceitos essenciais da psicanálise, que é o conflito psíquico. Mas não que esse conflito seja ruim. Porque ele também é a maneira que a nossa mente encontra para deixar o resultado dessa briga satisfatório para ambas as partes. A censura prevalece – o homossexual latente achou que estava tendo um pesadelo em que provavelmente seria assaltado pelo bando de fortões. Mas o desejo reprimido também encontra, graças às maluquices desse mecanismo de transformação, um jeito de driblar a censura – e ver a luz da consciência, por meio do perfume agradável que os bandidões emanavam.

Essa maquiagem que o trabalho do sonho aplica no conteúdo latente – e que eu acabei de chamar bem toscamente de maluquices – tem modos diversos de operar, mas é sempre o que Freud chama de uma distorção.

O SONHO É UM MESTRE DOS DISFARCES

As duas principais distorções que agem sobre os seus desejos inconscientes, no âmbito dos sonhos, são o deslocamento e a condensação.

O deslocamento é quando o sonho transforma em outra coisa o verdadeiro elemento que o inconsciente quer manifestar. Ou seja, ele desloca o motivo da sua emoção reprimida para outro elemento, de forma a não abrir o jogo sobre com quem – ou com o quê – o seu desejo está lidando. Um exemplo: um paciente de Freud tinha raiva de sua cunhada e costumava referir-se a ela como uma cadela. Um belo dia, esse indivíduo sonhou que estava estrangulando um cachorrinho branco. O deslocamento operado pelo sonho fez com que o homem acordasse levemente incomodado por ter sonhado que matava um animalzinho. Mas o livrou de uma culpa maior: o desejo inconsciente de assassinar a própria cunhada.

Essa distorção acontece também quando estamos despertos. Alguém tem um dia desgraçado no trabalho, terminando com uma discussão com o chefe, que considera um tirano sem coração. Aí chega em casa e dá um chute no gato. Para a pessoa, foi mais fácil dar um pontapé no bichano que no emprego – ou literalmente no chefe. Além disso, a filhinha que testemunhou o golpe no animal pode passar a ter fobia de felinos, deslocando seu medo original do ato violento – mais fácil evitar gatos que temer o pai para o resto da vida.

Já o processo de condensação é juntar no sonho – condensar – duas ou mais ideias numa só. Por exemplo, você tem diversas preocupações relacionadas à segurança: a da sua mãe, que já é idosa e mora sozinha; a do seu dinheiro, que anda curto; a do seu carro, que passa a noite toda estacionado na rua, à mercê dos bandidos. Então você sonha com um castelo. Talvez um castelo que o proteja no sonho do ataque de um dragão saído de *Game of Thrones*. Mas esse castelo – talvez você descubra na psicanálise – foi o elemento que a distorção achou para condensar uma série de desejos de ter mais segurança – para diversos aspectos ou pessoas da sua vida.

Outro exemplo: alguém pode descobrir, pelo processo psicanalítico, que, ao sonhar que estava dirigindo uma Ferrari vermelha, não tinha o óbvio e universal desejo de ter esse carrão na garagem. Mas, sim, um desejo inconsciente de que sua irmã, seu irmão e sua mãe – todos ruivos – tivessem uma situação financeira melhor. Os elementos originais do conteúdo latente, portanto, são três pessoas da sua família, que o sonho condensou no conteúdo manifesto num único elemento: um carro esportivo caro, que exige uma situação financeira confortável do proprietário – e que é da cor do cabelo dos seus familiares.

INTERPRETANDO SONHOS

Como já vimos, Freud foi um adepto da autoanálise e, sendo ele o inventor da coisa toda, julgava-se capaz de interpretar os próprios sonhos. Mas a recomendação é que a pessoa conte com um analista para chegar aos significados. A interpretação dos sonhos na psicoterapia, segundo o método freudiano, também se dá por meio da associação livre, que vimos no capítulo anterior.

No relato para o psicanalista, o paciente é encorajado a dizer qualquer coisa que os elementos do sonho despertem em sua mente. Se ele tiver sonhado com um pastel, poderá dizer coisas tão díspares quanto "havia uma feira na rua em que eu morava na adolescência" ou "lembrei que um colega do serviço sempre chegava do almoço com a roupa fedendo a fritura". No primeiro caso, o analista poderá estimulá-lo a falar dessa rua, e a primeira coisa que virá à mente dele poderá ser "na esquina morava uma menina que eu achava linda, mas nunca tive coragem de falar com ela". Talvez o processo chegue à conclusão de que o sonho do rapaz tinha na origem um desejo muito mais romântico do que deixaria supor a visão de um pastel de palmito encharcado de óleo. Mas por que essa história de amor sem final feliz seria reprimida pelo trabalho do sonho? Talvez porque lembrasse que a abordagem à moça só não aconteceu por conta de uma timidez que ainda é um embaraço na vida do sonhador.

Essa dificuldade psíquica de expressar desejos reprimidos é o motivo para a interpretação se beneficiar do diálogo com o analista.

Além disso, convenhamos, o profissional está muito mais acostumado aos disfarces do sonho do que você. E pode haver muita pegadinha nesse processo. "A interpretação depende da forma como o sonho foi contado", define Freud.

Sim, para o pai da psicanálise, não é exatamente o que você lembra do sonho que vai expressar o conteúdo latente, e sim *a forma como você o relata* – porque ao longo das associações livres o sonho se transforma, vai daquela lembrança estática para uma narração, um trabalho em movimento. Daí a importância da sessão no divã.

Você pode ter sonhado com Mickey Mouse beijando seu tio João, aos pés do Cristo Redentor, enquanto nevava dentes-de-leão no Rio de Janeiro. Mas o que você enfatiza no relato desse sonho durante a análise são os olhos do Cristo, que estavam puxados como os de um japonês. Talvez seja esse detalhe – o menos absurdo da cena toda – que vá levar o analista a conduzir as associações que você fará para chegar ao significado. E lembrando: é você quem vai fazer as associações. O analista é só o guia, o facilitador do processo.

Essa interpretação, na psicanálise, funciona na direção contrária do trabalho do sonho. O sonho parte de um desejo inconsciente – conteúdo latente – que passa por uma distorção para aparecer, de modo meio amalucado, na consciência. Já o trabalho de análise faz o caminho inverso: parte desse conteúdo manifesto destrambelhado, que é o relato que você fez, para desfazer a distorção por meio da associação livre. E assim chegar ao início do processo: seu desejo inconsciente e reprimido.

CADA UM É CADA UM

Se tinha algo que tirava Freud do sério era alguém mencionar uma coisa lida num desses "dicionários de sonhos" (cujas versões modernas você pode consultar livremente no Google). Como o pai da psicanálise também ficou famoso por dar significados sexuais a grande parte dos pensamentos inconscientes, uma paciente certa vez lhe disse que havia sonhado com um peixe que não parava de se mexer. Antes que Freud tivesse chance de dizer qualquer coisa, a mulher tratou de fazer sua própria interpretação: devia ser um pênis!

Só que não. Pelo método da associação livre, Freud descobriu que a mãe da mulher era apaixonada por astrologia, e que era do signo de Peixes. Achou plausível que essa mãe devesse andar pela cabeça da paciente porque ela desaprovava o fato de a filha estar se tratando com Freud. Por isso, segundo ele, era muito mais provável que o peixe fosse um deslocamento por trás do qual estivesse a mãe da paciente... e não um pênis.

Fosse tão simples assim, todo quiabo, peixe-espada, pepino, foguete, arranha-céu, berinjela representariam pintos nos nossos sonhos. Mas, para Freud, nada é tão simples. Segundo ele, o sonho e seus significados são um conjunto sob medida: só servem para aquele indivíduo. E isso desautoriza a ideia de que dente significa morte, levar uma mordida de um cachorro significa traição ou que matar uma cobra num sonho é sinal de que você vai ter uma vitória sobre pessoas que estão atrapalhando o seu sucesso (ver João Bidu). Para cada um, dente, cachorro e cobra podem significar coisas totalmente diferentes – e até para uma mesma pessoa esses significados variam de acordo com o momento.

Aquilo que vai dizer se um sonho com um porco significa um desejo de melhorar de vida – ter uma fazenda – ou de ver o seu time campeão – o Palmeiras, que tem um suíno como símbolo – são as associações que você fará para chegar ao conteúdo latente. Um conteúdo que pode ser muito menos óbvio do que essas interpretações latifundiárias ou futebolísticas.

VOANDO PELADÃO

Apesar de toda a contrariedade a respeito dos "dicionários de sonhos" e seus significados pré-moldados, Freud não escapa de também ter o seu glossário, ainda que numa versão miniatura. Ele diz respeito apenas a uma categoria onírica: os chamados sonhos típicos.

São típicos porque, em algum momento da vida, todo mundo já teve esses sonhos, com pequenas diferenças no contexto manifesto. São os sonhos de se ver pelado repentinamente na frente de estranhos, de conseguir voar, de ver morta alguma pessoa querida ou de ir mal na escola.

Para Freud, esses sonhos são exceções no que diz respeito ao processo de interpretação. Sem depender tanto das associações livres, eles têm significados prontos e gerais, que devem valer para qualquer sonhador. Além disso, são mais diretos, sem tanta distorção: o conteúdo manifesto é mais ou menos a expressão do conteúdo latente. Só não fogem à grande regra geral dos sonhos: são, também eles, realizações de desejos inconscientes. Muitas vezes, nesses casos, relacionados à nossa infância.

Freud explica que o sonho da nudez tem origem na experiência infantil de ficar pelado na frente de adultos. Sonhar com isso é desejar uma volta ao paraíso da infância, um período desprovido de vergonha – e de responsabilidades, pressões, boletos para pagar e demais chateações da vida adulta. Essa volta abrange, inclusive, o prazer de se estar pelado sem que ninguém o reprima. "Em muitas crianças, ainda podemos observar que sua nudez age sobre elas como uma embriaguez, em vez de levá-las a se envergonhar. Elas dão risada, correm em volta, dão golpes no próprio corpo", diz Freud. "As crianças mostram com frequência desejos exibicionistas." Segundo ele, essa "perversão" infantil se mantém no adulto, que adoraria ficar nu sem que ninguém o repreendesse. "A repetição dessas impressões [infantis] é uma realização de desejo", garante ele. Prova disso seria que nesse sonho típico, apesar de o sonhador sentir embaraço com a situação, as pessoas ao redor ficam indiferentes, como se não notassem sua nudez – como se ele fosse um bebê só de fraldas, ou sem elas... a coisa mais natural do mundo.

Os sonhos de morte de uma pessoa querida também remetem à infância do sonhador – e são igualmente realizações de desejos inconscientes. Ou nem tão inconscientes assim. A chave da questão, aqui, é que o mundo mágico dos sonhos é atemporal: eles podem tratar de desejos reprimidos recentes, mas também podem manifestar um desejo que você teve lá atrás, quando tinha seis anos de idade. Uma época em que, pelo menos dez vezes por dia, uma criança pode desejar a morte do irmão – seu concorrente direto pelo amor dos pais, pelos brinquedos mais bacanas da casa, pela atenção de avós, tios, amiguinhos...

Desejar o irmão morto parece radical demais, mas Freud lembra que chegar a esse ponto é algo muito diferente na criança em comparação com o adulto. "A criança nada sabe dos horrores da decomposição, dos calafrios da cova fria, dos pavores do nada infinito que a imaginação do adulto tolera tão mal. (...) Para a criança, ter morrido significa o mesmo que 'ter ido embora', não perturbar mais. Ela não distingue entre a maneira que essa ausência ocorre, se por viagem, demissão, afastamento ou morte", escreve Freud.

Sonhar, portanto, que uma irmã foi amarrada dentro de um caixão, e que esse caixão foi atirado ao mar puxado por uma âncora enorme, pode ser apenas o seu inconsciente voltando à raiva que você teve quando, aos cinco anos, foi obrigado a deixar que a pestinha também metesse a colher no brigadeiro da panela. Não é que queira matá-la agora. De verdade mesmo, nem na infância.

Mas, se ficou claro que o sonho com a morte de irmãos é apenas o seu egoísmo infantil dando o ar da graça, o que dizer do sonho com seus pais mortinhos? Tem a ver com egoísmo também, com o desejo reprimido de um amor que a pessoa queria só para ela. E é o momento em que, no livro *A interpretação dos sonhos*, Freud dá as primeiras pinceladas numa teoria que ficaria mais rebuscada quando ele tratasse da sexualidade infantil: o complexo de Édipo (que abordaremos mais adiante). "Os sonhos com a morte dos pais se referem de modo predominante à parte do casal que partilha o sexo do sonhador, ou seja, de que o homem quase sempre sonha com a morte do pai, e a mulher, com a morte da mãe. É como se uma predileção sexual se declarasse de maneira precoce, como se o menino e a menina vissem respectivamente no pai e na mãe os seus rivais no amor, cuja eliminação só lhes poderia trazer vantagens", explica. Assim como no caso dos irmãos, o sonho com os pais mortos tende a ser, segundo Freud, uma manifestação atrasada de um desejo infantil.

Freud explica ainda que o sonho típico de estar voando ou de cair de um lugar alto são outros retornos à infância do sonhador, ao desejo inconsciente de repetir as brincadeiras de Superman ou Mulher-Maravilha, em que adultos nos levantavam e nos giravam ao redor da sala, dizendo que estávamos voando. Ou a brincadeira de nos jogar para o alto – na inocência do perigo ali, as crianças pedem sempre que as joguem de novo, e de novo, e de novo... Sentimentos de prazer que agora, no filtro adulto da mente, se transformam em medo nos nossos sonhos.

Resta o sonho típico de ser reprovado num exame ou repetir de ano. Segundo Freud, o sonhador costuma sonhar com a reprovação numa matéria na qual, paradoxalmente, sempre teve sucesso. Ele diz que a origem em comum, nesse tipo de sonho, é a proximidade de uma tarefa difícil – e o desejo inconsciente de se livrar dessa preocupação. É como se a mente dissesse "estava angustiado (em sonho) com a reprovação naquela matéria, mas na verdade fui aprovado nela; então não preciso arrancar os cabelos por causa desse outro desafio, porque vou ser bem-sucedido de novo".

FREUD E O SURREALISMO

Durante a Primeira Guerra Mundial, quando tratava de soldados num hospital neurológico, o francês André Breton (1896-1966) teve um primeiro contato com a obra de Freud. Esse escritor, que publicaria o *Primeiro manifesto surrealista*, em 1924, ficou fascinado pelas teorias sobre o inconsciente, que influenciariam muito o seu trabalho. Os postulados freudianos sobre os sonhos pareciam encaixar-se perfeitamente nas ideias dos jovens expoentes do surrealismo, para quem esse conteúdo, desprovido das limitações da realidade, era matéria-prima para a arte.

Uma empolgação enorme por Freud que nunca foi recíproca. O pai da psicanálise não gostava das obras dos surrealistas e achava que eles nunca entenderam o seu trabalho.

Breton fez arranjos para visitar seu ídolo em 1921, em Viena, mas saiu tão decepcionado do encontro que se recusou a falar do assunto, mesmo com sua esposa. Anos mais tarde, Freud escreveria ao poeta: "E agora uma confissão, que você vai ter de aceitar com tolerância. Embora eu receba muitos relatos do interesse que você e seus amigos demonstram pela minha pesquisa, não sou capaz de esclarecer a mim mesmo o que o surrealismo é e o que ele pretende".

Mais de duas décadas depois desse encontro, foi a vez de Salvador Dalí se encontrar com o mestre do inconsciente – já em Londres, pouco antes da morte de Freud. Na ocasião, Dalí mostrou ao austríaco seu quadro *A metamorfose de Narciso* – bem ao seu estilo onírico, incorporando uma flor que brota de uma rachadura na casca de um ovo, o que representaria a cura simbólica para os males do narcisismo. Freud, no entanto, não se impressionou. Disse a um amigo, o escritor vienense Stefan Zweig, que gostaria de estudar psicanaliticamente como um quadro daqueles poderia ter sido pintado. E, para o próprio autor da obra, Freud foi direto também: "Na pintura clássica, eu procuro o inconsciente. Na pintura surrealista, preciso achar a consciência". Dalí recebeu esse comentário como uma sentença de morte do surrealismo.

Deu vontade de interpretar o que você sonhou na noite passada? Por mais que as ideias de Sigmund Freud sobre o assunto pareçam criativas demais, vale lembrar que o sonho é um produto da nossa mente. Então refletir sobre eles pode ser um exercício saudável. Nos sonhos, segundo a psicanálise, podemos vislumbrar desejos que talvez nos façam mais felizes ou miseráveis, mas o importante é o que esse olhar tem de libertador – das censuras que vêm da sociedade, da opinião dos nossos pais ou dos valores do nosso grupo.

Ou talvez você nem pense nessas coisas porque é do tipo que nunca lembra o que sonhou – embora todo mundo sonhe todos os dias. Tudo bem, não é por isso que faltará oportunidade de investigar desejos reprimidos. Outra forma de a psicanálise chegar ao nosso inconsciente é achando "falhas de sistema" nesse mecanismo da repressão. Como o déjà-vu em *Matrix*. E elas acontecem quando você está acordado mesmo, por curtos-circuitos nas nossas manifestações conscientes: são os nossos tropeções na rua, palavras que escapam da boca, amnésias e outras panes.

É o que veremos no próximo capítulo.

CAPÍTULO 4
ATOS FALHOS: SEM QUERER, QUERENDO

Trocar o nome de alguém, ter esquecimentos banais, esbarrões em quem cruza nosso caminho... Nada disso é por acaso. Assim como nos sintomas neuróticos e nos sonhos mais estapafúrdios, esses lapsos são o inconsciente pedindo passagem – e nos fazendo passar vergonha.

Você perde a chave de casa toda semana? Já chamou seu irmão de pai? Deixou cair, e quebrar, seu celular velhinho? E aquele nome de filme que você quer incluir na conversa, mas o título teima em escapar? Segundo Sigmund Freud, nenhum desses episódios é acidental. Tudo isso é apenas a sua mente fazendo você de bobo na frente dos outros. Mas com a melhor das intenções.

Talvez você perca a chave porque está infeliz no casamento e, inconscientemente, não quer voltar para casa – o cenário desse compromisso insatisfatório.

Talvez, embora você não pense muito no assunto, seu irmão represente uma figura paterna na sua vida, substituindo seu pai biológico – um sujeito ausente que nunca o levou ao parque para andar de bicicleta.

Talvez a queda do celular velho fosse um jeito que a sua mente deu para satisfazer um desejo bem materialista: o de comprar aquele iPhone top de linha que você viu no shopping. Ou não. Pode ser que você quisesse evitar uma ligação incômoda que teria de fazer.

E o nome do filme... digamos que fosse *Um corpo que cai* (1958), do Alfred Hitchcock. Talvez você tenha temores a respeito de acidentes com a sua filhinha pequena. E uma das aflições comuns de mães e pais do mundo todo é que seus bebês caiam do berço – ou do trocador, do cadeirão, do colo de um parente descuidado... Seu bebê caindo e se machucando é uma visão tão dolorosa que você evita pensar nela. Então uma forma que a sua mente encontra para lidar com essa angústia é rejeitando o nome de um filme que fala em corpo caindo.

Todos esses esquecimentos, trocas de palavras e gestos estabanados, com objetos ou com o próprio corpo, são o que Freud chamou de atos falhos – em inglês, *Freudian slips*, ou "lapsos freudianos". São bobeiras que, muitas vezes, a gente nem nota. Mas que seriam a consequência de um jiu-jítsu entre a nossa consciência e pensamentos inconscientes em busca de expressão. Entre repressão e desejo. O que sai desse combate é um lutador tão estropiado – o ato falho em pessoa – que em nada se parece com o cara que entrou na luta – a ideia inconsciente que queria se manifestar.

Segundo Freud, não queremos lidar com complexos, com ansiedades muito grandes, com tabus sexuais ou até com uma vontade terrível de nos matar. Às vezes, simplesmente evitamos confessar, para nós mesmos, um desejo tolo de consumo (sou assim tão fútil que preciso de um celular novo a cada seis meses?). Ou que o casamento já não é mais aquele mar de rosas. O ato falho é a forma que nossa mente cria de assumir esse conflito: provocando uma ruptura no sentido original do pensamento, o que leva a um equívoco, uma pequena amnésia ou um acidente.

Ninguém expressa isso tão bem quanto o personagem Chaves, ídolo eterno das matinês do SBT. Toda vez que ele apronta uma, sua explicação é "foi sem querer, querendo". E a essência do ato falho está justamente aí: é claro que, conscientemente, não queremos cometer erros, deslizes, tropeções – não queremos chamar o namorado pelo nome do ex. Mas os lapsos são uma forma de satisfazer a desejos e motivações inconscientes. E, ainda que de uma forma torta, conseguir um equilíbrio nisso tudo. O indivíduo atinge aquilo que estava querendo, mesmo sem querer.

As teorias sobre os atos falhos foram explicadas no livro *A psicopatologia da vida cotidiana*, lançado em 1901. Nele, Freud dá continuidade ao que já havia explicado em suas obras anteriores sobre as manifestações do inconsciente (e que você acabou de ver nos últimos capítulos). Além dos sonhos e das manifestações psicossomáticas, temos pensamentos ocultos se revelando nos nossos deslizes do dia a dia. Com essa teoria, Freud enfatiza que a interferência do inconsciente no comportamento humano não é só coisa de doentes mentais. É universal. E acontece o tempo inteiro.

Freud fala de três grandes grupos de atos falhos: os esquecimentos, os erros de linguagem – quando você troca palavras na fala, na escrita e na leitura – e os escorregões de comportamento – quando você derruba alguma coisa ou dá um encontrão com alguém, por exemplo. Para chegar às explicações sobre os motivos que levam a esses lapsos, Freud ia associando ideias que o próprio interlocutor lhe oferecia – um processo que podia acontecer tanto num café em Viena quanto no consultório do dr. Sigmund.

Então, agora, vamos ver quais são esses três grupos de autossabotagens. Assim, se você trocar o nome de alguém justo na hora H, terá uma boa desculpa psicanalítica para o vexame.

ESTAVA NA PONTA DA LÍNGUA...

Num primeiro tipo de lapso, entram os esquecimentos de nomes próprios, de palavras estrangeiras, de sequências de palavras, impressões, intenções e conhecimentos. Todos esses têm uma dinâmica parecida, então vamos apresentar alguns casos mais representativos. (Para ver outras situações semelhantes, leia *A psicopatologia da vida cotidiana* – o livro de Freud é recheado de exemplos tirados da própria vida do autor. Além disso, é uma leitura bem tranquila para iniciantes.)

Um dos casos relatados por Freud diz respeito a um jovem que lhe falava sobre um receio comum entre judeus da época: o de que, por causa da perseguição antissemita, eles estivessem condenados a ficar sem oportunidades de sucesso na vida. Emocionado ao tratar da questão, revoltado mesmo, o jovem concluiu seu desabafo com uma citação do poeta Virgílio, em latim, desejando que gerações futuras pudessem acabar com essa injustiça. A citação correta seria *Exoriare aliquis nostris ex ossibus ultor* ("Que de meus ossos surja alguém como vingador", trecho da *Eneida*). Mas o amigo, ao citar, esqueceu a palavra *aliquis* (alguém). Corrigido por Freud, o jovem achou um absurdo ter esquecido o termo latino, já que estava bem familiarizado com a citação. E perguntou ao mestre se a psicanálise explicaria esse esquecimento.

Era a deixa que Freud esperava – e o que veio a seguir foi um processo de associações livres.

Freud começou lhe pedindo para falar "sinceramente e sem nenhuma culpa" a primeira coisa, qualquer coisa, que lhe ocorresse ao pensar no termo *aliquis*. O amigo respondeu que tinha vontade de dividir a palavra: *a* e *liquis*. E que lhe vinha à mente esta sequência de palavras: relíquias, liquefazer, fluidez, fluido.

Continuando com as associações, o amigo passou a pensamentos religiosos: lembrou-se das *relíquias* de Simão de Trento, uma criança do século XV cujo desaparecimento misterioso caiu nas costas dos judeus, os suspeitos de sempre – eles foram acusados de usar o sangue do menininho na preparação de comidas para a Páscoa judaica. Em seguida, vieram-lhe à cabeça os santos Agostinho e Januário, este último envolvido num suposto milagre. O sangue de São Januário – repare no sangue voltando às associações – fica guardado num pequeno frasco, numa igreja de Nápoles, e num determinado dia santo ele supostamente se liquefaz, como por encanto. O amigo ainda comentou: "O povo dá muita importância a esse milagre e fica agitado quando há algum atraso, como aconteceu, certa vez, na época em que os franceses ocupavam a cidade. O general comandante (...) chamou o padre de lado e, com um gesto na direção dos soldados, deu-lhe a entender que esperava que o milagre acontecesse bem depressa. E, de fato, o milagre aconteceu...".

Entre outras intervenções, Freud notou que tanto Agostinho quanto Januário são nomes de santos que podem ser relacionados ao calendário: os meses de agosto e janeiro. E pediu que o amigo continuasse.

Mas bem nesse ponto o amigo travou. Logo depois de mencionar esse milagre de sangue, o jovem não quis tratar da associação seguinte, dizendo que tinha pensado numa questão muito íntima. Pô, mas aí é que a coisa fica interessante! Freud também pensou assim e insistiu com o moço. Tanto que esse amigo acabou dizendo que havia se lembrado de "uma dama de quem eu poderia receber uma notícia que seria bastante desagradável".

Aí Freud desvendou o enigma. Entendeu que a tal notícia dizia respeito à menstruação da moça, que estava atrasada. E que isso explicava o esquecimento misterioso da palavra latina *aliquis*. Ué, mas o que uma coisa tem a ver com a outra? Freud explica.

"Pense nos santos do calendário, no sangue [de São Januário] que começa a fluir num dia determinado, na perturbação quando esse acontecimento não se dá, na clara ameaça [do general] de que o milagre tem de se realizar."

Segundo Freud, ao longo dessas associações, o inconsciente do jovem havia usado o sangue do santo para externar – de forma distorcida, como sempre – o desejo de que a menstruação da mulher viesse de uma vez.

Acompanhe, então, o caminho desse inconsciente ansioso, partindo do pensamento reprimido até chegar ao ato falho: a menstruação atrasada de uma mulher com quem o amigo de Freud havia tido um caso –> a ansiedade *do povo de Nápoles* para que *o milagre do sangue* se concretizasse –> o milagre, a ser operado por um santo, demorando perturbadoramente –> Agostinho e Januário, santos associados à ideia de calendário, meses... ciclos –> o sangue de Simão de Trento –> as palavras liquefazer, fluidos, relíquias –> o esquecimento do termo latino *aliquis*.

Esse caso revela como Freud era capaz de fazer uma sequência mirabolante de associações para chegar ao motivo de um lapso qualquer.

Já o relacionamento a dois é a resposta da psicanálise para explicar *extravios*, como quando sabemos onde está determinado objeto, mas um bloqueio mental nos impede de achá-lo. No exemplo de Freud, um jovem lhe fala sobre ter uma esposa que, apesar de boa pessoa, não demonstra nenhum afeto por ele. Aí eis que um dia a esposa lhe dá um livro de presente – o máximo de atenção de que ela consegue ser capaz. O marido coloca o livro de lado num primeiro momento e, depois, passa meses sem conseguir lembrar onde o guardou.

O esquecimento parece insolúvel até que, um belo dia, a mãe do rapaz fica doente. A esposa, então, para a surpresa do moço, sai de casa e vai cuidar da sogra – demonstrando um empenho e um cuidado inesperados com a mãe do marido. E aí, o que acontece em seguida? "Fui até minha escrivaninha", diz o homem carente a Freud, "e, com uma espécie de certeza sonambúlica, abri uma das gavetas, onde, bem em cima de tudo, encontrei o livro há tanto tempo desaparecido."

Ainda falando sobre extravio, Freud conta a história de um homem que, intimado pela mulher a comparecer a um evento social a contragosto, perde as chaves do baú onde estava sua roupa de gala. E outra de um amigo psicanalista que, sentindo-se culpado por já ter fumado demais ao longo do dia, acaba perdendo o cachimbo. "Quando se observam em conjunto os casos de extravio, torna-se realmente difícil acreditar que alguma coisa possa ser extraviada sem que isso seja produto de uma intenção inconsciente", diz Freud.

Aí você pode pensar: certo, mas, quando perdi o crachá daquela empresa que eu odeio, eu estava estafado, no fim de um dia estressante, minha cabeça estava em curto-circuito. Seria o cansaço, então, a causa do esquecimento, não uma motivação inconsciente. Segundo Freud, esse argumento embaralha o motivo real do lapso com fatores que só dão um empurrãozinho para o esquecimento. "Atribuir uma causa biológica aos atos falhos seria confundir o mecanismo de um processo com os favorecedores desse processo."

Ou seja, se você tem algum conflito psíquico querendo se expor, um momento de fadiga pode deixar sua mente mais vulnerável a essa manifestação.

Para explicar melhor essa diferença, Freud dá um exemplo bem familiar a quem mora nas grandes capitais do Brasil: você segue por uma rua mal iluminada, conhecida pela alta frequência de assaltos, e, veja só... um bandido lhe aponta uma arma. Não foi a sua má escolha de trajeto que provocou o assalto. Ele aconteceu porque um assaltante estava justamente ali na hora em que você estava passando – e porque ele quis assaltá-lo. A mesmíssima coisa podia acontecer em qualquer outra rua da cidade. Mas a má iluminação e o fato de o logradouro ter criminosos como habitués deixam a ocorrência mais provável.

(Pelo menos mais provável do que se você estivesse à frente de uma delegacia, à luz do dia, acompanhado de um pit bull sem focinheira.)

HUM, QUE DELÍCIA, MÁRCIA... OPS, MAGDA!

Embora o esquecimento seja um lapso muito comum, o que a maioria das pessoas generaliza como ato falho é outra estratégia de desvio da nossa mente: a troca de palavras e nomes. O caso mais clássico: chamar o noivo pelo nome do antigo namorado. Numa interpretação mais simples, um terapeuta diria que a pessoa talvez estivesse com saudade do ex ou buscando algumas qualidades desse ex que faltam ao atual – mesmo que, conscientemente, não admitisse a hipótese de trocar o presente pelo passado.

Mas Freud gostava de ir mais fundo. Poderia sugerir, por exemplo, que a pessoa estaria resistente a tudo que envolve a ideia do casamento – a perda de liberdade, as pressões de uma vida a dois –, e por isso a representação na sua cabeça seria a de alguém que passou pela sua vida quando era mais jovem – quando a coisa toda de trocar alianças e ter conta conjunta não abalava os seus nervos.

Ou seja, é a perturbação ligada a uma ansiedade que afasta o nome causador da aflição, colocando no seu lugar outro nome que represente o inverso dessa ansiedade – tempos de sexo casual e namoro sem compromisso. Tudo isso numa simples troca de Rodolfo por Rodrigo.

Freud também dá como exemplo dessa categoria de lapso o caso de alguém que, ao se referir a uma tia, troca a palavra por "mãe", ou de uma mulher que, ao querer falar "o meu marido", diz "o meu irmão". Trocas que praticamente falam por si, segundo a psicanálise: uma tia que sempre tratou a pessoa com o afeto de uma mãe ou um casal que já não se comporta como casal – com aquela rotina sem sexo e paixão, unidos apenas pela série favorita da Netflix.

Dois outros exemplos de *A psicopatologia da vida cotidiana* ajudam bastante a entender o mecanismo desses erros de linguagem. Uma mulher muito mandona, que tratava o marido na rédea curta, contou ao psiquiatra que o esposo estivera doente e fora ao médico perguntar se devia mudar alguma coisa na dieta, se algum alimento estaria proibido. O médico, no entanto, não fez nenhuma restrição. Ao contar isso, casualmente, a mulher concluiu a história com um ato falho mal disfarçado, inserindo um pronome na frase: "Ele pode comer e beber tudo o que *eu* quiser".

O outro caso é o de um presidente da Câmara dos Deputados da Áustria, que abriu uma sessão do Parlamento da seguinte forma: "Senhores, constato a presença dos membros desta casa em quórum suficiente e, portanto, declaro *encerrada* a sessão!". Esse exemplo de substituição da palavra pelo seu oposto nos trai muito, segundo Freud, nos casos em que o desejo é justamente o contrário do discurso. O tal deputado queria mais era terminar logo o expediente. Seria um político brasileiro disfarçado?

DESASTRE AMBULANTE

Assim como há os lapsos de linguagem, existe o que Freud chama de equívocos na ação: perturbações do controle motor provocadas, claro, pelo inconsciente. Vão do descuido banal de usar a chave errada até o extremo de se ferir de propósito – sem consciência dessa intenção –, passando por quebrar a mobília, dar encontrões na rua...

O próprio Freud, quando costumava atender pacientes em domicílio, vira e mexe, em vez de tocar a campainha, buscava no bolso as chaves da sua casa – até se dar conta do erro, morrendo de vergonha. Refletindo sobre isso, Freud concluiu que só pagava mico diante das portas de doentes de quem gostava. "Era equivalente ao pensamento 'aqui me sinto em casa'."

A distração de quebrar coisas também pode ter significados complexos, cheios de associações, ou ser apenas um desgosto pelo que foi quebrado. Isso acontece naquele nosso exemplo do celular velhinho que caiu na privada "sem querer" ou de uma taça de vinho bonitona, reduzida a estilhaços de cristal, que você ganhou de alguém com quem tinha brigado. Freud, claro, dá exemplos do tempo dele: quebrou "sem querer" um tinteiro de mármore – utensílio de escritório da época em que se molhava uma pena na tinta para escrever – depois que sua irmã lhe disse que era a única peça que destoava da elegância do ambiente.

Impulsos sexuais reprimidos, segundo a psicanálise, também podem estar por trás de equívocos na ação, como na famosa mão-boba roçando em alguém que seja o objeto de desejo da pessoa. Mas há casos em que o sexo é mais bem disfarçado. E aí só Freud explica.

Ele fala sobre a situação em que se é obrigado a desviar de alguém na rua, mas dá-se o primeiro passo para a direita e o segundo para a esquerda, sempre indo para o mesmo sentido do outro indivíduo, até que ambos param frente a frente por um instante, para evitar a trombada. Por que parecia tão difícil desviar? Segundo Freud, porque seu inconsciente não queria esse desvio – estava mais a favor de um abraço ou algo mais íntimo. "Esse 'barrar o caminho' é a repetição de um comportamento travesso e provocador e, sob a máscara da inabilidade, persegue objetivos sexuais."

Freud ainda viu atos falhos nos machucados que você provoca em si mesmo. Foi cortar a unha e arrancou um naco do dedo? Estava distraído e bateu a cabeça num poste? Mordeu a própria língua? Pode ser que houvesse um impulso suicida por trás de cada um desses acasos. "Os ferimentos autoinfligidos são, em geral, um compromisso entre essa pulsão e as forças que ainda se opõem a ela", diz Freud. Sabe aqueles casos de jornal em que fulano estava "brincando com um revólver" e acabou se ferindo? Segundo o pai da psicanálise, a "brincadeira" é o disfarce com que a pessoa se ilude sobre o desejo terrível de tirar a própria vida.

Em outros casos, um descuido não chega a ser uma tentativa inconsciente de suicídio, mas uma autopunição ligada a um arrependimento.

Freud conta um exemplo vindo de uma conhecida. Certa jovem estava passando uns dias na fazenda de uma irmã junto com o marido, homem muito ciumento. Uma noite, a mulher se empolgou e fez uma demonstração – diante de suas irmãs e cunhados – de um de seus talentos artísticos: o cancã, aquela dança em que mulheres jogam as pernas para o alto, levantando a saia. Aos olhos do marido, foi como se ela tivesse dançado na boquinha da garrafa. "Você tornou a se portar como uma meretriz", sussurrou o homem, vermelho de raiva.

A moça, como não podia deixar de ser, ficou abalada com a censura do marido. Mas muito mais do que poderia transparecer. No dia seguinte, demonstrou uma vontade repentina de andar de carruagem. E, na hora do passeio, escolheu os piores cavalos possíveis. Bem nervosa durante todo o trajeto, ela aproveitou um alvoroço qualquer dos animais para "cair" da carruagem em movimento. Resultado: quebrou vários ossos de uma perna. E o acidente, que aposentaria o cancã na vida dela, ainda lhe rendeu uma neurose grave, que foi o que fez com que a jovem chegasse aos cuidados de Freud.

Ele lembra que essa autopunição pode acontecer em casos mais banais também. Já reparou como são comuns os casos de homens que se viram para olhar (a bunda das) mulheres que passam e acabam se acidentando – tropeçando, dando cabeçada em poste ou batendo o carro? Talvez algo inconsciente esteja lhes dizendo que não estão agindo certo. Ou que, em casa, há uma esposa ou namorada que não gostaria nada dessa atitude.

Era tanta a convicção de Freud sobre a motivação inconsciente desses pequenos acidentes que ele afirmou: "Quando um membro da minha família se queixa de ter mordido a língua, imprensado um dedo etc., não recebe de mim a compaixão esperada, mas sim a pergunta: 'Por que você fez isso?'".

Você nunca mais vai derrubar vinho na namorada, ou café quente no marido, sem imaginar o que esse acidente pode significar sobre o futuro da sua relação.

O LADO OBSCURO DAS SUAS PIADAS

Entre os muitos paradoxos da personalidade de Sigmund Freud, também havia este: se por um lado era homem conservador e até autoritário, muito sério sobre tudo o que dizia respeito ao seu trabalho, ele também gostava de trocadilhos e de uma boa piada. Tinha um tipo de humor corrosivo e, frequentemente, irônico.

Um causo relacionado a Freud – que a documentação histórica acabou desmentindo – dizia que, quando forçado a deixar Viena por causa de Hitler, o pai da psicanálise foi obrigado a assinar uma declaração de que tinha sido muito bem tratado pelos funcionários do Partido Nazista. Até aí, a história é verídica. Mas, segundo um de seus biógrafos, o psicanalista Ernest Jones, ele teria concluído a declaração com uma ironia – que, cá entre nós, os nazis dificilmente deixariam passar: "Posso recomendar cordialmente a Gestapo a todos".

O documento assinado por Freud não tinha essa frase final, mas, para as pessoas que lhe eram próximas, seria o tipo de comentário que se esperaria dele. A tal ponto que o austríaco escreveu um livro enorme sobre a função do humor no psiquismo: *Os chistes e a sua relação com o inconsciente* (1905). Era a terceira grande publicação dedicada à sua teoria do inconsciente, depois de *A interpretação dos sonhos* e *A psicopatologia da vida cotidiana*. Não está entre seus livros principais – embora o francês Jacques Lacan tenha ressuscitado algum interesse pela obra no fim dos anos 1950 –, mas vale a menção porque, com ele, o pensador complementa sua lista de portais do inconsciente. Para Freud, os ditos espirituosos, as piadas e ironias são – assim como os sonhos, os atos falhos e as neuroses – a parte mais oculta da nossa mente se manifestando de forma distorcida na consciência.

Segundo ele, muitas dessas brincadeiras acabam expressando ideias proibidas que, de outra forma, permaneceriam reprimidas, mas que contam com o passaporte do humor para driblar os mecanismos de autocensura. Com a ironia, por exemplo, o indivíduo usa palavras que significam o contrário da sua intenção – e assim diz coisas graves sem provocar espanto. Enquanto salga a picanha no churrasco, o tiozão mostra todo o seu preconceito racial, religioso e contra minorias com o salvo-conduto da piada politicamente incorreta – "é piada, então não ofende". E o chiste também pode ser a forma de aliviar uma ansiedade, fazendo referência a uma situação insuportável ou dolorosa com a leveza do humor – o judeu Woody Allen espalhou em seus filmes comentários espirituosos sobre os nazistas e o antissemitismo.

Enquanto o sonho e o ato falho são, para a teoria do inconsciente, expressões da realização de um desejo, Freud explica que o chiste é um agente produtor de prazer. Recorrendo à função lúdica da linguagem, o indivíduo consegue uma regressão a um estado de euforia infantil – uma época em que você não sabe fazer piada, mas, segundo Sigmund Freud, também não precisa do humor. Na vida encantada das crianças, tudo já é motivo de graça e busca de prazer. Aliás, mais do que a gente imagina. Duvida?

O Ministério da Moral e dos Bons Costumes adverte: a próxima parte deste livro contém cenas fortes de sexo implícito, incesto, sadomasoquismo, perversões polimórficas, prazer anal... Leia por sua conta e risco.

PARTE 2
SEXO NA CABEÇA

Lá pelos quarenta anos, Freud resolveu fazer votos de abstinência sexual: não queria mais filhos, não sabia usar preservativos e, de verdade mesmo, faltava tesão. Mas isso não significa que ele não quisesse mais "saber de sexo". Quando decidiu estudar como a sexualidade se desenvolve na mente, criou algumas das teorias mais famosas e polêmicas de todos os tempos: o complexo de Édipo e a inveja do pênis. Também escandalizou ao revelar os prazeres sexuais das crianças e foi pioneiro da causa LGBT: para o pai da psicanálise, não existe cura gay.

CAPÍTULO 5
INCESTO À MODA GREGA

Foi a tragédia grega Édipo Rei, de 430 a.C., que inspirou Freud a dar ao mundo um complexo que é pedra fundamental da psicanálise. Um conceito, aliás, que coloca o dedo no maior dos tabus: todo menino, até certa idade, gostaria de matar o pai para se casar com a mãe.

"Que animal tem quatro patas de manhã, duas ao meio-dia e três à noite?" A questão é feita por um ser monstruoso: cabeça humana seguida por corpo de leão e asas de águia. É a esfinge que traz destruição e má sorte à cidade de Tebas e mata todos os passantes que não conseguem solucionar seu enigma. "Decifra-me ou te devoro", ameaça o demônio – que sempre cumpre a promessa. Até que um jovem forasteiro, chamado Édipo, segue em direção à esfinge – depois de ele próprio ter matado um viajante desconhecido com quem arrumou confusão na estrada. Ao ser confrontado com a pergunta fatal, compreende suas analogias e dá a resposta precisa: "É o homem, que na infância engatinha, quando adulto caminha ereto sobre duas pernas e na velhice precisa de uma bengala". Ao ter seu enigma decifrado, a esfinge enlouquece e se atira de um precipício, livrando Tebas de suas maldições. Creonte, o regente da cidade, premia então o viajante com o trono da cidade-estado e ainda oferece a própria irmã, Jocasta, para ser esposa do novo rei.

Essa lenda do decifrador de enigma, produto da riquíssima mitologia grega, virou tragédia no teatro por volta de 430 a.C.: *Édipo Rei*, peça de um dos mais importantes dramaturgos da Antiguidade, Sófocles (495 a.C.-406 a.C.). A obra – que engrandece a lenda com personagens coadjuvantes e diálogos cheios de emoção – trata da funesta descoberta de Édipo a respeito de suas origens.

Anos após o confronto com a esfinge, Tebas atravessa novo período de dificuldades, agora já no reinado de Édipo: a terra se torna infértil e há uma onda de abortos espontâneos entre as grávidas. Consultado, o Oráculo de Delfos – centro religioso de profecias na Grécia Antiga – revela que a cidade só voltará aos tempos de fartura quando o assassino de Laio – o antigo monarca e ex-marido de Jocasta, morto misteriosamente anos antes – for encontrado e expulso da região. Só que ninguém sabe quem cometeu o crime. Acreditava-se que a vítima tinha caído nas mãos de assaltantes, para além das fronteiras da cidade. Então, em meio a esse clima de "quem matou Odete Roitman", o rei Édipo acaba descobrindo seu papel de marionete do destino.

Mais jovem, ele havia deixado sua cidade natal, Corinto, por causa de uma profecia: a de que mataria seu pai e casaria com a própria mãe. Apesar de não ter nenhum motivo para isso, porque era bom filho, afastou-se tanto quanto pôde para garantir que a sina nunca se cumprisse. O que ele não desconfiava é que, na época em que nasceu, outra profecia terrível de parricídio – gregos antigos adoravam uma profecia – assombrava os governantes de uma outra cidade: justamente Tebas, para onde Édipo iria já adulto. Laio e Jocasta, diante da informação divina de que o filho deles, quando crescesse, mataria o pai e tomaria seu lugar no trono, mandaram sacrificar o próprio bebê. O problema, para eles, é que esse assassinato não sairia como planejado.

O carrasco convocado para a execução ficou com pena do neném, então terceirizou o serviço. Só que esse terceiro também amarelou, repassando mais uma vez a batata quente. Foi de colo em colo, de hesitação em hesitação, que o herdeiro de Tebas finalmente chegaria ao lar de um casal que não podia ter filhos: sim, o rei e a rainha de Corinto, aqueles que Édipo acreditava serem seus pais.

Voltando ao tempo presente da peça, tudo se esclarece a partir das delações de algumas testemunhas: Édipo na verdade é filho adotivo; o homem que ele matou na estrada a caminho de Tebas era o seu pai biológico, Laio – o que faz de sua esposa sua mãe... com quem ainda gerou quatro filhos.

Incesto! Maldição dos deuses gregos.

Diante dessa verdade aberrante, Jocasta se enforca e Édipo cega os próprios olhos.

Se eu tivesse morrido mais cedo,
não seria o motivo odioso
de aflição para meus companheiros
e também para mim nesta hora!
E jamais eu seria assassino
de meu pai e não desposaria
a mulher que me pôs no mundo.
Mas os deuses desprezam-me agora
por ser filho de seres impuros
e porque fecundei – miserável! –
as entranhas de onde saí!

Esse é o discurso de Édipo já perto do fim do drama. Agora compare com esta outra confissão:

Encontrei em mim, como em toda parte, sentimentos amorosos em relação à minha mãe e de ciúme contra meu pai.

Essa última não é de uma peça da Antiguidade – embora não seja deste século. Está numa carta de 1897 que Sigmund Freud escreveu a seu amigo e confidente Wilhelm Fliess. Foi o primeiro registro da associação, feita pelo pai da psicanálise, entre sentimentos incestuosos inconscientes e a tragédia grega – e tendo o próprio Freud como personagem.

Fã da cultura greco-romana, Freud viu na tragédia de Sófocles a representação perfeita para uma teoria a respeito da sexualidade infantil e suas consequências na vida adulta. O complexo de Édipo é a formulação inconsciente, na criança, que abriga um desejo pelo genitor do sexo oposto e, paralelamente, uma hostilidade para com o do mesmo sexo – relacionada a ciúme.

Sigmund Freud menciona publicamente o complexo de Édipo pela primeira vez em seu livro mais importante, *A interpretação dos sonhos*. Falando sobre o protagonista de Sófocles, diz: "Seu destino apenas nos comove porque também poderia ter sido o nosso, porque antes de nosso nascimento o oráculo lançou sobre nós a mesma maldição que lançou sobre ele. Talvez todos nós tenhamos sido chamados a dirigir a primeira moção sexual à mãe, o primeiro ódio e desejo violento ao pai; nossos sonhos nos convencem disso. O rei Édipo é apenas a realização dos desejos de nossa infância".

É, portanto, praticamente junto com a psicanálise que nasce essa estruturação subjetiva dos desejos, rivalidades, escolhas e identificações da criança – uma ideia que vai pautar todo o pensamento psicanalítico que viria a seguir.

Segundo Freud, esse complexo costuma durar dos três aos cinco anos de vida da criança, ao longo da chamada fase fálica (assunto do nosso próximo capítulo), e ir-se embora a partir dos seis, quando o desenvolvimento da sexualidade entra num período de stand-by antes da puberdade. Ainda muito apegado à mãe, o menino descobre que não é o único objeto de afeto dela. Existe uma pessoa inconveniente que a mãe também beija, abraça... vai para a cama com esse indivíduo. O pai, claro. Conforme a criança vai crescendo e dependendo cada vez menos da mãe – já não mama no seio dela e não tem mais fraldas para trocar –, a intimidade entre os pais volta um pouco ao que era antes, e o pequeno percebe que alguma coisa ali está fora da ordem – da sua ordem. Definitivamente, essa coisa de triângulo amoroso não encaixa bem na mente do menininho.

Repare que estamos falando em menino. E a menina? Pode ser também, Freud até indica um "Édipo invertido" quando trata do complexo, pensando na garota que se apaixona pelo pai e sente raiva da mãe, sua rival nessa comédia romântica. Mas, de verdade mesmo, o inventor da psicanálise quase sempre tem foco no homem em suas teorias sobre a sexualidade. Quando trata dos desejos femininos (tema de outro capítulo mais à frente), passa a chutar bem longe do gol. Talvez você já tenha ouvido falar no complexo de Electra, a versão para meninas do Édipo freudiano. É outra referência a um mito grego – também encenado por Sófocles –, nesse caso da princesa que assassina cruelmente a própria mãe para vingar a morte do pai. Um erro comum é achar que, por se tratar de outra teoria psicanalítica, o complexo de Electra também seja criação de Freud. Não é. Foi Carl Gustav Jung (1875-1961) – um amigo que virou desafeto de Freud – quem criou o termo. Segundo a teoria, as meninas querem usar as roupas da mãe e brincar com sua maquiagem como forma de atrair o pai, seu "marido". Mas a coisa passa logo. Quando não passa, se as meninas não superam esse sentimento, acabam projetando a figura do pai em seus envolvimentos amorosos quando adultas – e às vezes odiando a mãe.

DEIXEM MEU PINTO EM PAZ!

Para Sigmund Freud, o desaparecimento da fase edipiana a partir dos seis anos tem a ver com outro complexo de nome espirituoso: o de castração. Ui!...

Nessa época, segundo uma visão bem polêmica do pai da psicanálise, a criança só consegue conceber que seres humanos tenham o membro masculino. A menina não tem pênis? Azar o dela. É porque alguém cortou. E isso dá um medo enorme. O complexo de castração é justamente esse sentimento inconsciente da ameaça de ficar sem pinto – "se cortaram o das meninas, podem cortar o meu também!". Dessa forma, o mundo se dividiria entre pessoas que têm pênis – os *afortunados* que fazem xixi de pé – e aquelas que foram castradas – sim, as que usam o banheiro feminino. Para exemplificar, Freud cita o famoso tratamento do Pequeno Hans, um menininho que, ao constatar a falta de pênis na irmã caçula, em vez de entender que seria assim mesmo, acha que é tudo questão de tempo, que o órgão só não cresceu ainda.

Nessa fase, o menino também acaba admitindo que, convenhamos, o pai é um baita de um empecilho para o seu desejo de se casar com a mãe. Isso o ajuda a desistir do plano inconsciente de incesto e parricídio qualificado, e essa paz de espírito – ou da mente – o leva a um outro ganho na formação da sua personalidade: ele passa a se identificar com o pai. Uma identificação que é fundamental para que o garoto possa, em breve, arrumar outro objeto sexual para substituir a mamãe. Se seguir essa linha sem traumas, podem ser as adolescentes da escola. Se não seguir o que Freud considera o desenvolvimento psicossexual normal, em vez de mimetizar o pai, ele vai se fixar na figura da mãe, e seu desejo pode se voltar para os garotos na educação física. Ou ainda outras configurações de desvio podem levá-lo à perversão – quando o objeto de desejo sexual pode virar uma cabra do sítio, um sapato de salto alto ou um escapamento de carro. Nessa coisa de o que é normal ou não, aliás, Freud afirma que a homossexualidade também é uma perversão.

Mas, opa, calma lá, isso não é motivo para o jumento homofóbico sair disparando barbaridades na internet. Pelo menos não poderia botar a culpa no Freud. O pai da psicanálise explica (no próximo capítulo) que há vários tipos de comportamentos perversos e que o dos homossexuais não tem nada de antinatural, pelo contrário: é só o desvio de uma meta reprodutiva.

HAMLET: ARQUÉTIPO DO REPRIMIDO

O complexo de Édipo, quando se estende mais do que devia, permanecendo na vida adulta, tem uma representação perfeita na obra de William Shakespeare (1564-1616) – uma associação que o próprio Freud faz em *A interpretação dos sonhos*. "Em Édipo, como no sonho, a fantasia de desejo subjacente da criança é trazida à luz e realizada; em *Hamlet*, ela permanece recalcada e ficamos sabendo de sua existência – que é semelhante ao estado de coisas de uma neurose – apenas pelos efeitos inibidores que dela provêm." Hamlet, o doce príncipe da Dinamarca, protagonista da tragédia homônima escrita na virada do século XVI para o XVII, seria um neurótico edipiano por excelência.

Esse personagem passa a peça inteira hesitando diante da missão que dá a si mesmo: matar o tio, Cláudio, um calhorda que assassinou o pai de Hamlet e ainda se casou com a mãe dele, Gertrudes. O psicanalista galês Ernest Jones sinalizou que a história gira em torno da revolta do príncipe com o fato de sua mãe se casar de novo, e tão rápido, com outro homem. Inconscientemente, o rapaz acredita que, com a morte do pai, a mãe seria só dele, recuperando a exclusividade da relação que existe na primeira infância, quando nossas mães só querem saber da gente – um "casamento" perfeito.

Além dessa frustração, há outra simbologia edipiana envolvida na fúria do maior dos personagens de Shakespeare. Ao se tornar padrasto, Cláudio assume, ainda que involuntariamente, uma figura paterna. Hamlet, então, quer livrar-se desse "outro pai" que se intromete em seu amor por Gertrudes.

Mas ter impulsos destrutivos contra um pai simbólico já é razão para ansiedade, sendo só um desejo inconsciente. Assumindo o assassinato como missão a ser executada na prática – e não só na mente –, Hamlet se enrosca num conflito psíquico gigante. Ao mesmo tempo que detesta o tio por motivos conscientes – a morte de seu pai – e inconscientes – o ciúme em relação à mãe –, o príncipe, só para piorar as coisas, ainda se identifica com o vilão. Afinal, em sua neurose, ele também queria matar o pai e se casar com Gertrudes. De certa forma, admira Cláudio por ter feito o que ele só realizaria nos seus sonhos mais secretos. Daí Hamlet procrastinar a vingança até onde é possível: as últimas cenas da tragédia. Na interpretação de Freud, "o horror que deveria movê-lo à vingança é substituído por autocensuras, por escrúpulos de consciência que o repreendem porque ele próprio, literalmente, não é melhor do que o pecador que deveria castigar".

Sigmund Freud via Hamlet ainda como um modelo de reprimido. Seu sentimento de culpa por desejos que não aceita em si mesmo deságua em ansiedade, insegurança e episódios frequentes de confusão mental. O espectador mais atento duvidará se os motivos que levam Hamlet a arquitetar seu plano de vingança serão reais ou uma alucinação.

ÉDIPO COMPLEXADO

Por uma dessas reviravoltas da história, a teoria edipiana de Sigmund Freud, num sentido inverso, acabou influenciando também o estudo da mitologia grega. Édipo é um personagem mais sofisticado aos olhos de hoje por causa de Freud. Tanto que muita gente tem noções básicas sobre a teoria, mas nunca leu a obra de Sófocles nem viu uma peça de teatro inspirada nela. O rei de Tebas é muito mais conhecido graças à enorme repercussão do pensamento freudiano sobre a cultura.

Essa influência do influenciado ganhou tal dimensão que alguns estudiosos dos mitos gregos precisaram se posicionar para que Édipo não se tornasse "alguém com complexo de Édipo". Um deles foi o historiador e antropólogo Jean-Pierre Vernant (1914-2007). Num artigo de 1967, "Édipo, sem complexo", ele propôs outra interpretação à lenda, em contraponto às leituras à luz da psicanálise. E que tem um ponto de vista brilhante: a de que o próprio destino de Édipo seria a resposta ao enigma.

Ao se casar com a mãe, esse herói – imponente sobre seus dois pés – se iguala a seu pai, a representação de um homem mais velho, que simbolicamente poderia usar uma bengala e ser o animal de três patas à noite, proposto pela esfinge. E, sendo, ao mesmo tempo, pai e irmão de seus filhos, iguala-se a essas crianças, como se engatinhasse – uma referência ao primeiro estágio do elemento do enigma, que na manhã de sua vida se desloca sobre quatro patas. Édipo é, ao mesmo tempo, a salvação e a desgraça de Tebas. Mas, muito antes que vazasse os próprios olhos com os broches de sua esposa-mãe, já não conseguia enxergar quem era.

Em *Compêndio da psicanálise*, seu último livro, que deixou incompleto, Freud faz uma avaliação do legado de sua teoria edipiana: "Se a psicanálise não tivesse em seu ativo senão a simples descoberta do complexo de Édipo reprimido, isso bastaria para situá-la entre as preciosas novas aquisições do gênero humano".

O.k., humildade não era o forte dele. Mas a importância desse conceito, para a psicologia, de que menino gosta da mamãe e menina quer se casar com o papai, é mais que evidente. Até hoje é uma elaboração que faz parte das interpretações na prática psicanalítica. E ficou uma ideia tão grande porque, quando encaixou esse herói trágico da mitologia em sua teoria do inconsciente, Freud fez mais que sugerir que impulsos incestuosos estariam emaranhados na mente infantil. Sua concepção foi ganhando corpo ao longo dos anos, ressurgindo a cada novo postulado, e atravessaria o conjunto da obra freudiana, firmando-se, principalmente, no centro de tudo o que ele escreveu sobre como a sexualidade vai crescendo no nosso inconsciente, influenciando relações pessoais, neuroses e até nossas identificações de gênero – um tema de debates apaixonados aqui no século XXI.

Para Sigmund Freud, Édipo é peça-chave do nosso amadurecimento – define os caminhos da nossa vida sexual, é pai biológico dos nossos sentimentos de culpa e ainda divide o mundo entre sujeitos normais e pervertidos.

Saiba mais nas próximas páginas.

CAPÍTULO 6
PERVERSÕES QUE VÊM DO BERÇO

Mulheres com transtorno alimentar? Podem ter sido bebês com disfunção na fase oral. E, para Freud, todos os neném passam por uma fase anal, quando retêm cocô por puro prazer. O desenvolvimento psicossexual das crianças começa já no seio da mãe e vai até a tempestade de hormônios da adolescência – quando trocamos gozos infantis por sexo de verdade.

"Moleque abusado pela babá vira guru do sexo" – essa seria uma manchete possível caso algum jornal sensacionalista publicasse a história. O próprio Freud foi a fonte dessa "versão romântica" sobre o despertar do seu interesse sobre a sexualidade. Referindo-se à mulher contratada para cuidar dele quando menino – uma senhora feiosa, mas bem saidinha, segundo o próprio –, ele disse: "Foi minha professora de sexualidade. Ela me dava banho com uma água avermelhada na qual ela mesma se lavara antes". Cruzes!... Mas a hipótese de que o comportamento da babá poderia dar cadeia vem de outra afirmação sua, uma que fez estudiosos de diversas épocas suspeitarem da velhinha como musa das teorias mais picantes da psicanálise: "A satisfação sexual é o melhor sonífero. É sabido que babás pouco escrupulosas fazem adormecer crianças que choram acariciando seus genitais".

A afirmação está na obra mais polêmica de Sigmund Freud, considerada na época obscena e pornográfica, e que deu a seu autor o estigma de velho tarado: *Três ensaios sobre a Teoria da Sexualidade*, de 1905. No livro, Freud trata das manifestações psíquicas ligadas a essa sexualidade, das perversões sexuais e de toda uma teoria da libido. Mas o que escandalizou o mundo foi mais especificamente o segundo ensaio, *A sexualidade infantil*, que teve como base a observação dos seus filhos no dia a dia – e olha que ele teve seis –, além do material de sempre – estudos anteriores aos seus, os relatos de seus pacientes e o que Freud lembrava da própria infância. Nessa parte da obra, o autor revela que a criança tem atividades sexuais, brinca com suas zonas erógenas, direciona sua libido para a mãe ou o pai e (segure-se na cadeira) até prende o cocô por puro prazer anal.

Uau! Era demais para a sociedade do século XIX. É demais até para os pais modernos de hoje em dia. Principalmente os que não buscam compreender o que Freud estava querendo dizer com sexualidade. Ele nunca falou ou escreveu que as crianças passam a infância num eterno filme pornô, mas sim buscando sensações de prazer. E fazem isso por meio de pensamentos e atitudes que um olhar menos perscrutador dificilmente associaria a atividades sexuais – como a tal retenção das fezes.

Pode até ser que a babá erótica do pequeno Sigmund tivesse culpa no cartório, mas os registros históricos apontam para outra origem do interesse do austríaco pelo que as crianças fazem com os pipis e popôs. Na rotina do seu consultório, usando a técnica da associação livre, Freud foi percebendo que muitos dos casos de estresse emocional de seus pacientes estavam relacionados a experiências reprimidas da infância, ligadas a questões sexuais; e disso concluiu que as neuroses nascem do conflito entre a sexualidade do paciente e os padrões da sociedade. Como já vimos neste livro, durante um tempo, Freud esteve convencido de que todo mundo tinha algum trauma sexual de infância, associado a um abuso cometido por um parente próximo, frequentemente os próprios pais: a sua malfadada Teoria da Sedução. Mas a tese de que o planeta é habitado por bilhões de molestadores incestuosos não durou tanto – ele mesmo concluiu que parecia pouco factível. Ao longo das sessões de psicanálise, foi então percebendo que as memórias de traumas sexuais até podiam ser verdadeiras, mas geralmente eram parte da fantasia criada pela mente dos pacientes. Como uma vienense adulta dizer que o pai a tratava como sua mulher quando era pequena, quando na verdade isso podia ser apenas imaginação de criança – de uma menina que gostasse de se achar boa substituta para a mãe no papel de esposa.

Se desistiu da hipótese dos abusos generalizados, Freud nunca abdicou da ideia de que a busca por prazer na infância, com seus êxitos e fracassos, tem reflexos fundamentais na formação da nossa personalidade. Junto com o funcionamento do inconsciente – conceito imprescindível em qualquer ideia que venha de Freud –, a sexualidade é o sustentáculo de toda a psicanálise. E essa safadeza começa antes do que parece.

CLAMOR DO SEXO

O primeiro sutiã a gente nunca esquece. Nem a primeira masturbação. E as duas coisas costumam acontecer praticamente juntas, lá no início da puberdade, um período em que passamos por uma revolução interna e externa, de transformações biológicas e fisiológicas.

No menino, assim como os pelos no sovaco e na região do púbis, o pênis cresce, e as ereções dão o ar de sua graça a qualquer hora do dia – infelizmente também nos momentos mais indesejados, o que torna o uso de calças de moletom desaconselhável. Tanta mudança só para que os meninos tenham ejaculações sempre que o pênis for solicitado para isso. Alguém pensou "para fazer filhos"? Bom, quando se é moleque, a causa dessas ejaculações quase nunca é uma atividade a dois, destinada à reprodução, e sim o sexo solitário. E olha que, às vezes, nem é preciso se masturbar: a puberdade também tem um superpoder que atende pelo nome de polução noturna, o termo técnico para "gozar dormindo".

Na menina, as mudanças são ainda mais visíveis: aparecem seios onde antes havia um peitoral idêntico ao dos garotos, e o quadril aumenta de tamanho. Também é quando as mocinhas começam a comprar seus próprios absorventes – a primeira menstruação é festejada como rito de passagem, enquanto a segunda e a centésima são lamentadas pelos desconfortos da bagunça hormonal. Mas é um aviso: a adolescente está biologicamente pronta para ter filhos. O adolescente também – ainda que libere a maior parte de seus espermatozoides no banheiro.

Por tudo isso, é natural que a maioria das pessoas associe o despertar da sexualidade com as transformações do início da adolescência. Peitões, punhetas, absorventes e casais de quatorze anos se esfregando num cantinho do pátio da escola... toda essa sexualidade à flor da pele só começa aí, diz o senso comum. Para Sigmund Freud, no entanto, esse é um mito que precisa ser enfrentado – e vencido. "Isso não é um erro qualquer, mas de grandes consequências, pois principalmente a ele devemos nosso atual desconhecimento das condições fundamentais da vida sexual", afirma em seu "livro pornô". Para ele, somos negligentes quanto à sexualidade infantil. Um fenômeno tão inerente ao ser humano que começa junto com ele – e diante de um seio pingando leite.

PURO ÊXTASE

Imagine degustar o seu drinque predileto ao mesmo tempo que recebe uma massagem deliciosa nos ombros e nos pés. Diante de você, modelos lindas/lindos desfilam com pouca roupa – tudo ao som da sua banda preferida. Bom, né? Pois é exatamente assim que se sente um bebê sugando leite materno. Está ali o mamá quentinho, que, além de alimentar, tem poder analgésico e antiestresse. A voz e até o cheirinho da mãe relaxam e acalmam. E o contato com o seio não é o sonho só de adolescentes espinhudos – para um bebê, é a melhor experiência tátil do mundo. A amamentação é uma explosão de estímulos – em todos os sentidos. "Quem vê uma criança largar satisfeita o peito da mãe e adormecer, com faces rosadas e um sorriso feliz, tem de dizer que essa imagem é exemplar para a expressão de satisfação sexual na vida posterior", define Freud. "No começo, a satisfação da zona erógena estava provavelmente ligada à satisfação da necessidade de alimento. A atividade sexual se apoia primeiro numa das funções que servem à conservação da vida, e somente depois se torna independente dela."

Segundo Freud, o prazer múltiplo da mamada é justamente o primeiro passo na direção do que vai se tornar a série de estágios do desenvolvimento psicossexual infantil.

Essa jornada começa no nascimento e, ao longo dos primeiros anos de vida, é marcada pelo autoerotismo, quando a criança obtém prazer com o estímulo das zonas erógenas do próprio corpo – a boca em contato com o seio materno, a genitália que recebe pomada na troca de fralda... tudo muito mais inocente do que o termo "erógena" poderia insinuar. Mas a festa de uma pessoa só é interrompida por volta dos seis anos, idade em que meninos e meninas vão para a escola e arrumam outras distrações para a cabeça. Esse intervalo, de abstinência, dura até a puberdade, quando então a sexualidade volta com força total – agora não mais centrada no próprio corpo, mas de olho nos objetos sexuais que abundam à nossa volta: outros meninos e meninas. Uma autoaprendizagem que deixa marcas para a vida inteira, pois, nas palavras do próprio Freud, esse é o "jogo das influências que governam a evolução da sexualidade infantil até o seu desenlace em perversões, neurose ou vida sexual normal". E é o que veremos a seguir.

REVOLUÇÃO PSICOSSEXUAL

Uma das teorias que eternizaram o pensamento de Sigmund Freud nas discussões de mesa de bar é a que divide o desenvolvimento psicossexual infantil em cinco estágios – uma ideia que o austríaco tirou da biologia evolucionista –, que vão do nascimento à puberdade: as fases oral, anal, fálica, um período de latência e, enfim, a fase genital. Ao longo dessas passagens, segundo ele, a criança se dedica a atividades que são fontes de prazer e de autoerotismo. Pior: desde cedo, esse pequeno é um ser pervertido – e de um tipo de perversão polimórfica.

O nome pode dar arrepios, mas o significado, nem tanto. "Polimórfico" é o adjetivo que quer dizer "acontece das mais diversas maneiras". E a perversão, no entendimento freudiano, não é apenas a imagem consagrada nos dias de hoje de podólatras – gente que sente tesão pelos pés alheios – ou sadomasoquistas: é simplesmente uma sexualidade que não é voltada para o padrão de homem e mulher tentando gerar filhos. Perverso polimórfico, portanto, é aquele que busca sentir prazer de diversas formas, sem finalidades de procriação. Uma definição que, segundo a psicanálise, se ajusta perfeitamente às crianças, os pequenos seres que, sem as repressões, vergonhas e barreiras culturais dos adultos, podem se deleitar até com o próprio cocô – como Freud menciona numa das cinco fases que vamos ver agora.

FASE ORAL

Vai do nascimento ao segundo ano de vida. E, sim, se você pensou no mamá da mamãe, sua resposta está absolutamente certa. É quando os atos de morder o seio, sugar e engolir o leite materno geram satisfação ao bebê. E não apenas por saciar a fome. É por prazer mesmo. "Observamos que o lactente quer repetir essa ação de se alimentar sem, com isso, demandar mais alimento; não é, pois, a fome que o estimula a fazê-lo. Dizemos que ele chupa ou suga, e o fato de, ao fazer isso, ele tornar a adormecer com uma expressão de bem-aventurança nos mostra que a ação de sugar em si lhe trouxe satisfação", explica Freud, que não deixa dúvida sobre o tipo de satisfação de que está falando: "só podemos relacionar essa obtenção de prazer à excitação da região da boca e dos lábios, partes do corpo a que chamamos, então, zonas erógenas, e o prazer alcançado no ato de sugar, nós o caracterizamos como sexual".

Não seria para menos, portanto, que bebês levam à boca praticamente tudo o que encontram – e que existe um objeto mágico, simulacro do seio materno, chamado chupeta.

Segundo Freud, problemas nesse estágio de desenvolvimento, como uma satisfação precária ou excessiva desse prazer, podem ter consequências nas idades posteriores do indivíduo. "Nem todas as crianças chupam", diz ele em seu livro mais polêmico. "É de supor que o façam aquelas em que a significação erótica da zona dos lábios é forte. Sendo ela mantida, tais crianças se tornarão, quando adultos, finos apreciadores de beijos, preferirão beijos perversos ou, sendo homens, trarão consigo um poderoso motivo para beber e fumar."

Já as mulheres, segundo Freud, terão nojo de comida. "Muitas de minhas pacientes com distúrbios de alimentação, constrição na garganta e vômitos foram enérgicas 'chupadoras' na infância."

FASE ANAL

Ocorrendo entre os dois e os quatro anos, é a fase em que a criança descobre as mil e uma utilidades do próprio cocô. Mais especificamente, do ato de colocar esse cocô para fora – ou não. Segundo Freud, a criança tem sensações agradáveis ao esvaziar o intestino, e isso se desenvolve para uma obtenção de prazer pelo estímulo do ânus – outra zona erógena. "As crianças que utilizam a excitabilidade erógena da fase anal se revelam no fato de reter a massa fecal até que esta, acumulando-se, provoque fortes contrações musculares e, na passagem pelo ânus, exerça um grande estímulo na mucosa. Isso deve produzir, juntamente com a sensação de dor, uma sensação de volúpia." Não à toa, Freud também chamou essa fase de sadoanal – um conjunto de coisas que dificilmente os pais devem imaginar quando seus pequenos têm prisão de ventre.

Mas essa fase anal é mais complexa do que a busca do prazer autoerótico. Freud afirma que a criança – não sentindo nojo das próprias fezes – considera esse cocô uma extensão do próprio corpo. E assim se depara, pela primeira vez, com uma das grandes decisões de toda uma vida: fazer ou não fazer? A decisão, na verdade, está entre uma atitude narcisista – a de reter o cocô para ela mesma – ou de amor ao próximo – já que considera que, ao defecar, está abrindo mão dessa extensão do corpo e dando um presente aos pais, os pobres coitados que tanto se afligem com a criança que não faz cocô e a enchem de iogurte de ameixa.

Por isso mesmo, também é uma fase de autoafirmação: o domínio das funções do corpo – a celebrada passagem das fraldas ao penico – se junta a uma insistência na própria vontade, contrapondo-se à dos pais, que querem lhe dizer quando e onde fazer suas necessidades fisiológicas.

Quando você tiver de lidar com uma criança de três anos teimosa e que só quer saber de ganhar presente, relaxe: a culpa é dessa fase do desenvolvimento psicossexual. "Do erotismo anal procede, por emprego narcísico, a teimosia, como significativa reação do ego a exigências dos outros; o interesse dirigido às fezes se torna interesse por presente, e depois [já na fase adulta] por dinheiro", teoriza Freud.

Segundo a psicanálise, conflitos na fase anal também repercutirão na personalidade do adulto. Um sujeito "anal-expulsivo" gosta de desperdício e extravagância; o "adulto-retentor" vai na direção contrária: preza pela limpeza e a arrumação.

FASE FÁLICA

Depois de ter descoberto as alegrias do ânus, a criança, por volta dos quatro aos cinco anos, volta a sua atenção para o pênis – ou para a falta dele, com o complexo de castração de que falamos no capítulo anterior. É nessa fase que a criança percebe as diferenças anatômicas entre meninos e meninas, e também que passa a ter prazer ao manipular seus órgãos genitais. Associa o pênis a uma ideia de poder, já que quem tem pênis em casa é o pai, a pessoa mais poderosa da família – pelo menos, das famílias vienenses da virada do século XIX para o XX, nas quais Freud se baseou.

Na fase fálica, essa percepção da presença do pai, numa relação que até então parecia exclusiva entre a criança e a mãe, desperta o complexo de Édipo.

FASE DE LATÊNCIA

Dos seis aos onze anos, a criança dá um tempo na sua exploração do parque de diversões da sexualidade. Coincidindo com o período em que a escola fica mais séria, a libido – concebida por Freud como a energia sexual na vida psíquica, mas também como uma energia de vida, que nos leva para a frente – é direcionada para outras coisas. Principalmente para o desenvolvimento social e intelectual. É hora de interagir com os amiguinhos – pela primeira vez sem supervisão integral dos adultos –, de lidar com as primeiras lições escolares para valer, de criar apego ao primeiro caderno. É tanta coisa nova na cabeça da criança que a sexualidade fica meio encostada – ou melhor, em estado de repouso. Talvez uma reunião de forças para a fase que virá em seguida: a puberdade.

Sobre esse intervalo de alguns anos, Sigmund Freud comenta: "o período de latência parece ser uma das precondições da aptidão humana para desenvolver uma cultura superior".

Mas ele também tem uma explicação mais "psicanalítica" para a formação desse período. É quando o complexo de Édipo da fase fálica se esvai. A autoridade do pai é incorporada inconscientemente na personalidade da criança, e o resultado disso é a formação do núcleo do superego (de que falaremos mais adiante), assumindo para si a severidade paterna e perpetuando a proibição contra o incesto. Sem incesto, não há Édipo – e vice-versa. Assim, segundo Freud, "as tendências libidinais pertencentes ao complexo de Édipo são em parte dessexualizadas e sublimadas". Sublimação, no contexto da psicanálise, é o direcionamento das energias sexuais e destrutivas para outras atividades que não tenham sexo e porrada no meio (como veremos na parte deste livro que aborda os mecanismos de defesa do ego).

Ou seja, quando a criança para de focar na sexualidade, sua libido – sua energia – fica liberada para servir a outros aprendizados. E saímos da fase de latência como seres humanos melhores – uma maturidade essencial para encarar a revolução que vem a seguir.

FASE GENITAL

Com a manifestação da puberdade, a partir dos onze anos, a sexualidade volta a mil por hora. Nem haveria como ser de outro modo, já que meninos começam a ter ereções a torto e a direito, ejaculam dormindo ou no chuveiro, os seios das meninas crescem, elas começam a se masturbar... A identidade infantil é deixada para trás – o estágio genital se prolonga para o resto da vida –, e isso acarreta um fenômeno decisivo: a percepção do outro.

Até então, nas chamadas fases pré-genitais, Freud diz que a sexualidade na criança é narcísica, voltada para si mesma – ela sente prazer estimulando a própria boca, o ânus, seu pênis ou clitóris. Já na fase genital, esse narcisismo diminui, e a libido é direcionada para outras pessoas, com as quais o indivíduo quer obter sua satisfação. "A pulsão sexual, que era predominantemente autoerótica, encontra um objeto sexual", diz Freud.

E a boa notícia é que esse objeto está, agora, fora do núcleo familiar: serão as pessoas que você elegerá como potenciais parceiros de cama. Sem pai e mãe na história.

DOUTOR EM PERVERSÃO

A vida privada de Sigmund Freud sempre seguiu um estilo conservador. Em casa, tinha faxineira, governanta, uma criada para abrir a porta aos pacientes e também uma cozinheira. Era rígido quanto ao horário das refeições, não admitia palavrão, oferecia flores às mulheres – especialmente gardênias – e jogava xadrez. Tolerou como um mal necessário uma das novidades do fim do século XIX: o telefone. Mas preferia mesmo se corresponder por carta – atividade a que se dedicava todos os dias e que deixou para a posteridade muito do que sabemos sobre o pensamento freudiano. Sua esposa era a típica dona de casa faz-tudo, responsável por gerenciar todos os assuntos do lar enquanto o marido bancava o Sherlock Holmes da mente – trabalho em que ele se empenhava como um operário chinês, só encerrando o expediente após dezesseis horas de labuta.

Ninguém que o visse saindo do barbeiro – aonde ia todos os dias, religiosamente, para manter a barba impecável – poderia imaginar que aquele senhor era o grande teórico revolucionário da sexualidade, visto por muitos de seus colegas como libertino – para usar o termo mais educado. E é justamente por esse perfil conservador no dia a dia que é de admirar a perspectiva libertária com que Freud tratou as questões do sexo na mente das pessoas. Além de abordar o desenvolvimento psicossexual das crianças com frieza clínica, isenta, Freud debruçou-se de mente aberta em outra questão suscetível ao julgamento preconceituoso da sociedade: as perversões sexuais.

Foi em meados do século XIX que a psiquiatria formou um leque de práticas sexuais consideradas desvios dos padrões tidos como normais na época: zoofilia (desejo sexual por animais), pedofilia (por crianças), fetichismo (interesse sexual focado em algum objeto ou parte específica do corpo do parceiro), sadomasoquismo (associação dos prazeres sexuais ao sentir e infligir dor física), coprofilia (prazer com aquilo que as pessoas costumam depositar na privada), necrofilia (desejo de transar com cadáveres), exibicionismo (prazer sexual em exibir a própria nudez), voyeurismo (praticamente o contrário da última: prazer em ver nudez ou imagens eróticas), incesto (desejar pai e mãe, ou irmãos), travestismo (prazer em se vestir seguindo o padrão do sexo oposto) e até homossexualidade, que na época era vista como desvio sexual – e infelizmente segue sendo assim para grande parte das pessoas.

Sigmund Freud constatou que não conseguiria elaborar uma teoria completa da sexualidade humana se não tratasse da perversão – na terminologia psiquiátrica, essa palavra ainda pode ser substituída por "parafilia". Mas, diferentemente de seus antecessores e contemporâneos, o mestre de Viena não dá a esses desvios uma conotação pejorativa nem os aborda com preconceito. Para ele, são apenas outras facetas da mente humana se manifestando no âmbito da sexualidade. Embora mantenha a ideia de que são desvios, no entendimento de que não se destinam à reprodução – e por isso toda criança seria uma pervertida, como já dito aqui –, Freud rejeita a noção de que essas práticas sejam coisa de gente degenerada.

Para ele, a má fama dos pervertidos vem do fato de que a experiência médica lida com casos extremos, o que propicia a confusão entre "o desvio sexual" do indivíduo e um sintoma patológico. É pelos doentes que os médicos são procurados, não pelas pessoas que vivem bem com uma ou outra perversãozinha. Daí a impressão equivocada de que todos os perversos seriam doentes mentais – um erro que não sobrevive na psicanálise freudiana. "Em nenhum indivíduo são estaria ausente, em sua meta sexual normal, um ingrediente a ser denominado perverso", esclarece o Freud mente-aberta. Ele acredita que as exceções, que não têm como deixar de ser consideradas patológicas, são "aquelas em que a pulsão sexual realiza coisas assombrosas (lamber excrementos, abusar de cadáveres) na superação das resistências (nojo, vergonha, dor, horror)".

A perversão acabou ganhando tal importância nas investigações de Freud que ele a insere numa estrutura tripartite, ao lado da neurose e da psicose: enquanto a neurose é o resultado de um conflito interno entre os desejos e a adequação à realidade, e a psicose é a reconstrução de uma realidade alucinatória, a perversão surge como uma fixação na sexualidade infantil.

Afinal, como vimos, Freud considera a criança uma perversa-polimorfa – alguém que busca sensações de prazer de tudo quanto é jeito.

OBJETOS E METAS SEXUAIS

Para a análise das perversões, Freud recorre a dois termos que vão ajudar você a diferenciar cada tipo. Objeto sexual é a pessoa da qual vem a atração, enquanto meta sexual é a ação, o objetivo da coisa. Perversos têm desvios em relação ao objeto ou à meta. Ou aos dois.

Uma meta sexual normal, segundo a visão freudiana, é "a união dos genitais no ato denominado copulação, que leva à resolução da tensão sexual e temporário arrefecimento da pulsão sexual (satisfação análoga a saciar a fome)". É a cópula, o coito por excelência: pênis introduzido numa vagina.

E no ânus, pode? Freud não vê nada de ruim no sexo anal e diz que "é o nojo que marca essa meta sexual como perversão". Crê ainda que o nojo que algumas pessoas sentem à ideia de usar o "órgão excretor traseiro" para o sexo não tem mais fundamento que aquele que se sente diante do pênis, "que serve para urinar".

Os podólatras, por exemplo, no que direcionam seu interesse sexual para o pé ou o calçado de alguém, estão substituindo o objeto sexual normal – a pessoa inteira – por uma parte dele – o pé – ou algo associado a ele – o sapato de salto alto. Isso por causa de uma superestimação sexual, que acha maravilhoso tudo o que diz respeito à pessoa desejada e que, dessa forma, é incapaz de restringir-se à meta sexual da união dos genitais.

Em outros casos de fetichismo, o objeto sexual deve responder a uma precondição para que a meta sexual seja alcançada. Por exemplo, vestir-se de enfermeira ou fantasiar-se de bombeiro. "Na escolha do fetiche se revela a contínua influência de uma impressão sexual geralmente recebida no começo da infância", define Freud, fazendo menção a uma época em que nos vestiam de super-heróis, índios ou fadinhas e achávamos o máximo.

Voyeurs, exibicionistas e até pessoas que sentem prazer sexual ao assistir a alguém fazendo xixi ou cocô são perversos fixados em metas sexuais provisórias, que não vão chegar à meta sexual definitiva – a cópula. Essa meta temporária faz parte do processo da meta normal, já que um dos primeiros estímulos no ato sexual é a visão da nudez do parceiro, mas vira uma perversão quando a pessoa não quer saber de mais nada além de ficar ali, só nessas preliminares.

Sádicos, para Freud, são os indivíduos nos quais um componente agressivo – natural no impulso sexual – ganha vida própria, é exacerbado e se torna meta sexual, um fim em si. E os masoquistas? Freud aponta que são uma derivação do sentimento sádico – voltado, no caso, para si mesmos. Para o pai da psicanálise, mais do que sádicos e masoquistas, o que há são sadomasoquistas, pessoas que incorporam atividade e passividade diante da dor. "Quem tem prazer de causar dor aos outros nas relações sexuais também é capaz de fruir, como um prazer, a dor que tais relações lhe proporcionarem. O sádico sempre é, simultaneamente, um masoquista." No entanto, a realidade dos clubes S&M parece mostrar uma distinção entre mestres e servos. Freud explica: o fato de haver os que gostam mais de bater e os que curtem apanhar é só, segundo ele, o lado ativo ou passivo da perversão prevalecendo.

SEM CURA GAY

Sigmund Freud incluiu os homossexuais na categoria pouco lisonjeira dos perversos em sua teoria da sexualidade. Afirmou que tinham um desvio no tocante ao objeto sexual – que, segundo o padrão vigente, deveria ser o sexo oposto. Aliás, embora o termo *homossexualidade* já vigorasse na Europa no começo do século XX, o pai da psicanálise ainda se referia ao interesse sexual entre pessoas do mesmo sexo como *inversão*, e aos homossexuais como *invertidos*. O.k., não parece um bom começo. Mas, se estivesse vivo hoje, Freud seria considerado simpatizante da causa gay. Se não na prática – dificilmente aquele homem conservador subiria num carro elétrico da Parada do Orgulho Gay –, pelo menos do ponto de vista teórico.

É preciso lembrar que Freud colocava nesse cesto dos *pervertidos* toda a sexualidade não voltada para a reprodução. E isso não tinha nada a ver com dogmas religiosos – ninguém mais longe disso que ele. Era simplesmente uma questão de opor uma série de interesses e comportamentos sexuais ao que se considerava a norma em seu tempo. E, se você não vê gays assumidos apresentando telejornais ou protagonizando novelas no Brasil, é porque os homossexuais ainda vão ter muita luta pela frente até que essa "norma" seja mais abrangente.

Perversos, sim. Mas não "degenerados", como muita gente via os homossexuais – e ainda os vê. A explicação de Freud para isso é bem estruturada. Ele diz que, para um indivíduo ser degenerado, precisa ter vários desvios se apresentando simultaneamente. Ou seja, além de ter tesão por pessoas do mesmo sexo, ele deveria ter também, por exemplo, interesse sexual por crianças ou por animais – dois outros tipos de desvio de objeto sexual. Além disso, precisaria ter sua capacidade de "funcionamento e existência" seriamente comprometida por causa da perversão. E Freud argumenta que a homossexualidade é identificada em pessoas que não têm outros desvios de normas – incluindo gente de vida muito pacata, aliás – e que há abundância de gays expoentes da cultura e do mundo intelectual, gente que "funciona e existe" muito bem.

"O que lhe interessava de imediato não era valorizar, inferiorizar ou julgar a homossexualidade, porém compreender suas causas, sua gênese e sua estrutura, do ponto de vista de uma nova doutrina do inconsciente", explica Elisabeth Roudinesco. Por isso, ao tratar dessa condição do ser humano, Freud tirou dela tudo o que pudesse ser encarado como pejorativo ou associado a uma "doença da alma". Seguindo sua linha de investigação, quis conceber a homossexualidade como uma escolha psíquica inconsciente. E fez o que muitas sociedades modernas ainda não foram capazes de fazer: conferiu igualdade aos homossexuais em relação a seus pares héteros. "A investigação psicanalítica opõe-se com extrema determinação à tentativa de separar os homossexuais dos outros seres humanos como um grupo particularizado", escreveu. Considerou ainda que a homossexualidade é consequência da bissexualidade psíquica presente em todas as pessoas. Para ele, somos todos bissexuais, e tornar-se heterossexual ou homo depende de como a repressão atua na mente. Homens héteros reprimem o que há de feminino em sua vida psíquica; homens gays, não.

Mas por que alguém é gay? Em 1920, Freud apontou que esse "desvio" nos homens se dá no momento de o indivíduo eleger seu objeto sexual, quando então prevalece uma fixação infantil na figura da mãe – além de um sentimento de decepção com o pai. Um ano depois, em sua obra *Psicologia das massas e análise do eu*, Freud contextualiza a instauração da homossexualidade após a puberdade, mas ainda como reflexo de uma situação vivida na infância: o vínculo forte entre o menino e a mãe. Após as turbulências do complexo de Édipo, em vez de o garoto se aproximar da figura paterna, mantém a associação com a mãe – não mais como seu amante inconsciente, mas agora se identificando com ela. Transformando-se nela.

Essas "causas" da homossexualidade sugeridas por Freud não fogem tanto assim do que muita gente pensa – e talvez não surpreendessem a sociedade da época. O que impressiona mesmo é sua perspectiva moderna diante da homossexualidade, afirmando inclusive que a terapia psicanalítica não deveria jamais tentar "curar" homossexuais.

Se a política tivesse lido Freud com alguma atenção, não teriam acontecido medidas vergonhosas, como a prisão, em 1895, do escritor Oscar Wilde – autor de *O retrato de Dorian Gray*. Ele foi condenado a dois anos de cadeia por seus "relacionamentos antinaturais". Isso porque, até 1967, a homossexualidade era ilegal na Inglaterra. Esse "crime" também resultou em problemas com a lei para o matemático Alan Turing, o gênio que, além de ter inventado o computador, abreviou a duração da Segunda Guerra Mundial ao criar uma máquina para decifrar os códigos das mensagens trocadas pelos nazistas. Um grande herói, certo? Mas, para a Justiça inglesa, Turing era um criminoso – por gostar de homens. Foi deixado em liberdade sob a condição de se submeter a uma castração química, tomando injeções com estrogênio sintético. O tratamento lhe rendeu uma depressão daquelas e Turing deu fim à própria vida ingerindo cianureto. Além da prisão e da castração, homossexuais tiveram de lidar com a lobotomia, eletrochoques e outros métodos de "cura gay". Na Tchecoslováquia, nos anos 1950, homossexuais "diagnosticados" eram submetidos a um tratamento para que substituíssem seu desejo sexual por um sentimento de nojo. Tomavam uma droga indutora de vômito e em seguida eram obrigados a ver imagens de homens nus. Era nesse nível, a coisa.

Em 1935, escrevendo para uma mãe americana, que se lamentava por ter um filho gay, Freud deu esta declaração muito à frente de seu tempo: "A homossexualidade não é uma vantagem, evidentemente, mas nada há nela de que se deva ter vergonha: não é um vício nem um aviltamento, nem se pode qualificá-la de doença. Nós a consideramos uma variação da função sexual provocada por uma suspensão do desenvolvimento sexual. Diversos indivíduos sumamente respeitáveis, nos tempos antigos e modernos, foram homossexuais, e entre eles encontramos alguns dos maiores de nossos grandes homens (Platão, Leonardo da Vinci etc.). É uma grande injustiça perseguir a homossexualidade como um crime, além de ser uma crueldade".

Em 1973, quase quarenta anos após essa carta de Freud, a Associação Americana de Psiquiatria finalmente retirou a homossexualidade da sua lista de transtornos mentais – sendo seguida por todas as entidades de psiquiatria do mundo. Hoje, a comunidade médica é unânime em afirmar que nenhuma orientação sexual é doença.

Após o lançamento dos *Três ensaios sobre a Teoria da Sexualidade*, e durante toda a vida, Sigmund Freud retrabalhou suas ideias – principalmente o complexo de Édipo – e foi acumulando fãs e inimigos declarados de suas teses sobre o desenvolvimento psicossexual. O fato é que essas teorias conseguiram tirar muitas das noções sobre sexualidade do âmbito do tratamento médico para torná-las o que são: condições inerentes ao ser humano. Com seus livros e ensaios, Freud acabou revelando que o objetivo da sexualidade – apesar dos dogmas religiosos – não é a procriação, e sim a obtenção de um prazer que é seu próprio caminho e fim. E isso não é uma questão cultural de uma sociedade secularizada. Os homens das cavernas já partiam para cima das mulheres, e de outros homens, atrás de satisfação sexual – não estavam pensando "oba, vou fazer uns cinco filhos hoje".

Freud ainda demonstrou que a masturbação, para a criança, é tão natural quanto buscar o seio da mãe. É uma procura de sensações prazerosas. E que, portanto, não deveria ser motivo de recriminação ou de intervenção médica. Disse ainda que todo mundo tem um pouco de perversão – e que na dose certa isso não faz mal a ninguém. E que a homossexualidade é um lado da bissexualidade que existe em cada um de nós – uma ideia que leva à única conclusão possível: a de que, se gays devem ser curados de seus desejos, então o mundo todo precisa de tratamento.

Não que o pai da psicanálise estivesse sempre coberto de razão. Homens e meninos, sejam héteros ou homos, podem pensar no velho mestre de Viena com carinho e até agradecimento. Já as mulheres... têm muito do que reclamar – como veremos no capítulo seguinte.

CAPÍTULO 7
SEXUALIDADE FEMININA: DEFEITO DE FÁBRICA?

Como não rejeitar a ideia freudiana de que meninas têm inveja do pênis? Segundo o austríaco, esse sentimento definiria um destino incontornável para futuras neuróticas, lésbicas ou experts em prendas domésticas. Em sua defesa, o pai da psicanálise admitiu: nunca entendeu direito a natureza da mulher.

"Quem quer uma espingarda quando se pode ter uma pistola automática?" Apesar da menção a armas de fogo, a questão, feita por Natalie Angier, vencedora do Prêmio Pulitzer e jornalista de ciência do *New York Times*, não tem a ver com troca de tiros – e sim com as teorias freudianas sobre a sexualidade feminina. A pergunta, que está em seu livro *Woman: An Intimate Geography* (Mulher: Uma geografia íntima – sem edição brasileira), é uma referência à constatação de que, nas palavras da escritora, "as mulheres nunca compraram a ideia de Freud de inveja do pênis".

A revolta tem razão de ser: a visão de Sigmund Freud sobre o desenvolvimento sexual da mulher é a mais contestada de suas ideias, tendo despertado animosidades em feministas desde que foi publicada.

E não só com elas. Dentro do próprio círculo da psicanálise, naquelas primeiras décadas do século XX, já havia quem – inclusive homens – achasse estapafúrdia a noção de que toda menina deseja para si uma mangueirinha acoplada igual à dos meninos – e que sua personalidade futura será decidida pela forma como aceita essa "desvantagem".

A psicanalista alemã Karen Horney (1885-1952), fundadora da escola neofreudiana – que alterna obediência e discordâncias com o pai da psicanálise –, foi uma das vozes que imediatamente se ergueram contra essa teoria de o feminino nascer da ausência do órgão masculino. "Como em todas as ciências, a psicologia das mulheres tem sido até agora considerada apenas do ponto de vista dos homens", ela disse. E foi além, sugerindo que o macho é que teria uma "inveja do útero": eles fariam de tudo para ser bem-sucedidos na vida apenas como forma de compensar a incapacidade de gerar uma criança. "Quando alguém começa a analisar os homens, como eu fiz, após uma vasta experiência de análise de mulheres, tem a impressão surpreendente da intensidade dessa inveja da gravidez, do parto e da maternidade."

Além da inveja do pênis, a teoria freudiana sobre a sexualidade feminina tem outros conceitos nada elogiosos para elas: a mulher como uma criatura castrada sexualmente; a vocação feminina para o masoquismo; o superego subdesenvolvido (que transformaria a mulher num perigo para a civilização); a submissão e o matrimônio como destino da "mulher normal"... Em resumo, a inferioridade em relação ao homem – inerente e anatômica.

Mas, antes de colocarmos Sigmund Freud no caldeirão do inferno dos porcos chauvinistas, é bom lembrar que estamos falando de um pioneiro do interesse pelo que a mulher tem a dizer: a psicanálise nasceu de sua iniciativa de tratar mulheres neuróticas – não como loucas desvairadas, e sim como seres humanos com questões profundas, que precisavam ser externadas. Ao dar voz a pacientes que sofriam por ser proibidas – pela cultura e muitas vezes pela lei – de atingir seus potenciais, e ao comunicar essa necessidade delas ao mundo, Freud pode ser considerado um libertador. Mesmo sua polêmica teoria sobre a sexualidade feminina era um avanço: até então, acreditava-se que a mulher nem era capaz de ter desejo sexual. "A riqueza e a singularidade da psicanálise estão no fato de ela ter se constituído justamente na tensão discursiva – presente na obra freudiana – entre dar voz a esse outro, singular, e reafirmar o masculino como universal na cultura", aponta a psicanalista Regina Alice Neri no livro *Feminilidades*. Eis aí o paradoxo de Freud.

UM HOMEM DO SEU TEMPO

O problema é que ele foi de vanguarda até certo ponto – em diversos aspectos, seu pensamento alinhava-se ao seu tempo e ao lugar em que vivia. "Na sociedade vienense, as mulheres estavam sujeitas à interdição e à intervenção masculinas. Todos nelas mandavam: pais e irmãos", explica José Artur Molina, em *O que Freud dizia sobre as mulheres*. "Os casamentos de mulheres com homens mais velhos e ricos eram comuns, numa clara afirmativa de que o que elas precisavam era de bem-estar financeiro (nada mais do que uma forma de prostituição instituída pela hipócrita Viena)." Em seu livro *O segundo sexo*, a francesa Simone de Beauvoir (1908-1986) dedica um capítulo ao "ponto de vista psicanalítico" a respeito das mulheres, e fala de a concepção freudiana estar repleta de equívocos provenientes desse espaço-tempo: "A psicanálise só pode estabelecer suas verdades no contexto histórico", diz ela. Para Beauvoir, se o pensamento sobre a sexualidade partisse de uma perspectiva feminina, os símbolos freudianos poderiam ser outros. "[A mulher] inventaria equivalentes para o falo; a boneca, encarnando a promessa do bebê que virá no futuro, pode se tornar um bem muito mais precioso que o pênis. Há sociedades matriarcais nas quais as mulheres detêm a posse dessas máscaras nas quais o grupo encontra alienação; nessas sociedades, o pênis perde muito de sua glória."

Não era o caso de Viena. As letras das operetas que faziam sucesso na cidade, na época de Freud, recorriam ao estereótipo mais negativo para retratar suas personagens femininas: eram mulheres frívolas, infiéis, maliciosas e que caíam de amores por qualquer um que lhes fizesse um elogio.

Freud, ainda que fosse rodeado de amigas cujo brilho intelectual admirava, e que citasse ideias delas em diversos ensaios sobre a psicanálise, em geral não pensava muito diferente dos vizinhos mais machistas. Ainda mais se o assunto fosse o papel das moças na sociedade. O pai da psicanálise era contra a mulher sair para trabalhar e considerava o fim do mundo que uma ou outra ganhasse mais do que o marido. A única "profissão" possível seria o acúmulo de funções de gerente do lar, fiscal da limpeza domiciliar e gestora da educação das crianças: enfim... dona de casa. "Espero que estejamos de acordo", escreveu um dia a sua esposa, Martha Bernays, "em que administrar uma casa e educar os filhos requer da pessoa tempo integral, e praticamente elimina qualquer profissão."

Esse lado conservador de Freud, embora não o tenha feito recuar diante da própria ousadia sobre a sexualidade infantil, veio à tona quando ele tirou conclusões a respeito do desenvolvimento sexual da mulher. Principalmente pelo seguinte: toda a sua teoria a esse respeito parte de uma perspectiva falocêntrica – se essa teoria fosse um sistema solar, o pênis estaria no lugar do Sol. E isso, em qualquer interpretação que se tenha, significa exatamente o que Karen Horney disse: para

Freud, o homem vem primeiro, e é a base de qualquer pensamento adaptado para a mulher. A sexualidade feminina surge aos olhos de Freud sempre através de um filtro masculino. A tal ponto que, para o austríaco, meninas são meninos com defeito de fábrica.

INVEJA DO PÊNIS

Para Freud, até que a puberdade chegue com seus pelos e peitos, vigora entre as crianças um monismo sexual – a hipótese de que meninos e meninas só admitem um único órgão para práticas sexuais, que é o pênis. O que a menina reconhece em si, até então, é seu clitóris – um tipo de pênis subdesenvolvido. A compreensão de que tem uma vagina – estrutura feminina por excelência – só virá na fase genital, já a partir dos onze anos.

Na infância, portanto, não haveria diferença entre masculino e feminino. A criançada toda é menino – com ou sem pênis – até prova em contrário. E assim as criancinhas vão levando a vida sem maiores conflitos até o ponto em que essa diferença anatômica é notada. Entre os três e os cinco anos de idade, na fase fálica, surge a primeira curiosidade dos pequenos em diferenciar mocinhos e mocinhas. E é aí que as garotas terão uma descoberta devastadora: a de que são "garotos de segunda classe", que vieram ao mundo com algo faltando.

Pois é nesse período que elas notam, segundo Freud, que seus irmãos e amiguinhos do sexo masculino têm pênis. No mesmo lugar, em seu próprio corpo, elas só enxergam um grande vazio – ou, na melhor das hipóteses, um órgão homólogo em tamanho miniatura, e ainda por cima escondido, que é o clitóris. O mundo foi injusto com elas. Então, assim como as crianças sentem desejo de possuir os brinquedos das outras, as meninas também passam a querer aquilo que não têm nas partes baixas, desenvolvendo o sentimento famoso que Freud chamou de inveja do pênis.

"Essa falta lhe cai como uma injustiça e como motivo para se sentir inferior", explica Freud, referindo-se à menina. "Por algum tempo, acredita ainda que terá esse órgão tão valioso, ou seja, que seu pênis irá crescer."

Só que não, ele não cresce. O que fica para a garota é uma frustração enorme e o tal de complexo de castração, que acaba sendo fundamental para que a menina comece a desenvolver sentimentos incestuosos pelo pai. Afinal, ele tem aquilo que ela tanto inveja.

Nesse período do desenvolvimento sexual da criança, a mãe – que no início é o objeto de amor de todo bebê – perde pontos no conceito da menina por dois motivos. O primeiro, segundo Freud, é que a garotinha culpa a sua genitora pela falta de pênis no seu corpo – a mamãe não teria caprichado na sua fabricação como fez com o irmãozinho. O segundo é que a menina coloca na cabeça que pode amenizar sua inveja com um pênis simbólico: um filho. E não é com a mamãe, outra castrada, que ela vai conseguir isso.

Esse conjunto de motivos associado a uma supervalorização do pênis leva a garota a direcionar seu afeto agora ao pai, com quem acha que pode casar e gerar um bebê. Melhor ainda se esse bebê for um menino. (Na menina, então, a ansiedade da castração precede o complexo de Édipo – o inverso do que acontece com os meninos.) Possuidora de um bebê-pênis, ela já não precisaria mais invejar seus pares machos.

Pois é. Bebês-pênis, meninas que se acham meninos mutilados, crianças incestuosas... Até aí, Sigmund Freud simplesmente apresenta uma teoria que você pode achar completamente alucinada. Mas o que acabou revoltando feministas e não feministas do mundo todo foi o que ele apontou como consequências dessa inveja do pênis no desenvolvimento da sexualidade da mulher.

TRÊS DESTINOS

Ferida narcísica é o nome que Freud dá para um abalo no nosso amor-próprio, quando o ego narcisista toma uma bordoada e sai para um canto com o rabo entre as pernas. Segundo o pai da psicanálise, a menina tem essa ferida por conta do seu sentimento de inferioridade, aquela coisa de se descobrir vítima de uma injustiça da natureza, que é a falta do pênis. Como não vai brotar nada naquele vazio do corpo, e a menina logo entende que também não vai ter filho nenhum com o próprio pai, o que resta para ela é tocar a vida com essa condição desfavorável. Do ponto de vista freudiano, a melhor das hipóteses será a menina deixar de lado suas ambições de ser um menino e, finalmente, adotar um perfil caracterizado pela passividade. É isso, enfim, que vai amadurecer a sua feminilidade e transformá-la na mulher ideal. Pelo menos a mulher *à la Freud*: salva das trevas pelo matrimônio, submissa ao marido e com um talento nato para os assuntos domésticos.

Segundo Freud, o desenvolvimento da sexualidade feminina pode seguir três caminhos diferentes, dependendo da forma como a menina vai lidar com sua castração e sua inferioridade. Três destinos que serão determinantes para a mulher adulta.

Inibição sexual ou neurose

A mulher tem desejos sexuais, profissionais e ambições que a sociedade só permite aos homens. (Essa era a realidade na Viena dos tempos de Freud. Evoluímos bastante de lá para cá, mas bem menos do que deveria ser: a desigualdade de oportunidades de acordo com o sexo ainda é um padrão.) Frustrada com essa condição e sem forças para vencê-la, a mulher não supera sua inveja do pênis, reprime suas vontades e permanece frígida e infeliz para sempre. Na época de Freud, esse seria o destino seguido por muitas das histéricas que frequentavam seu divã: mulheres cuja repressão dos desejos inconscientes viria à superfície na forma de sintomas físicos.

Complexo de masculinidade

A mulher não se conforma com sua castração, continua querendo ser um menino e faz de conta que tem um pênis. Tudo isso a leva a se tornar lésbica ou a uma vocação fálica. Essa vocação, segundo o pai da psicanálise, é o que faz a mulher querer assumir posições na sociedade "exclusivas do homem". Sheryl Sandberg, a diretora de operações do Facebook, Angela Merkel, chanceler da Alemanha, e outras mulheres em posições de liderança – seja num governo, numa empresa ou mesmo dentro da família – seriam fálicas.

"O desejo de obter enfim o pênis ansiado pode contribuir para os motivos que levam a mulher adulta à análise", diz Freud em seu ensaio *Feminilidade*, "e a capacidade de exercer uma profissão intelectual muitas vezes se percebe como uma modificação sublimada desse desejo reprimido." De acordo com a teoria do austríaco, um alto cargo numa multinacional, para muitas mulheres, é um pênis simbólico, que finalmente elas podem bater na mesa.

Sexualidade feminina normal

Não se engane: esse "normal" de Freud para a mulher significa a aceitação de um destino como ser humano de segunda categoria. A "vantagem" é a tranquilidade e a estabilidade que vêm com a resignação do lar, com a reconciliação dessa mulher com o "feminino legítimo". A maturidade só acontece quando a ligação com esse pênis fracassado que é o clitóris é abandonada pela adolescente, sendo esse órgão substituído pela vagina – mais passiva e no molde certo para a penetração do marido.

Trabalho? Só dentro de casa. A vocação das mulheres para a maternidade faria com que funcionem no espaço familiar, e não no espaço público. "Parece que as mulheres fizeram poucas contribuições para as descobertas e invenções na história da civilização", afirma o austríaco. E tente segurar o riso agora: "No entanto, há uma técnica que podem ter inventado: tranças e tecer". Para Freud, a costura e o manejo do tear são imitações mentais do crescimento dos pelos pubianos, que se emaranham no corpo – uma forma simbólica de as mulheres normais esconderem seus genitais.

O MISTÉRIO DO ESPELHO – DESVENDADO

Sigmund Freud ainda afirmou ter descoberto a resposta para uma das maiores questões do homem casado através dos tempos: por que a mulher demora tanto se aprontando antes de sair de casa? Segundo o mestre de Viena, a culpa é da inveja do pênis. Ela responderia por características tipicamente femininas, como a vergonha e a vaidade física. Sim, para Freud, esposas e namoradas demoram diante do espelho, fazendo a maquiagem e cuidando do cabelo, por causa de um narcisismo exacerbado, que surge como reação à maldita castração peniana. "Elas não podem fugir à necessidade de valorizar seus encantos de modo mais evidente, como uma tardia compensação por sua inferioridade sexual original", resume Freud. O pensador ainda afirma que a necessidade de ocultar sua "deficiência genital" é o que faz com que mulheres sejam mais envergonhadas do que homens.

MULHER DE MALANDRO

Na elaboração de suas teorias a respeito das perversões, Freud contrapôs sadismo e masoquismo, associando a primeira a uma forma ativa de unir dor e prazer, impondo a dor a outra pessoa, e a segunda a uma forma passiva, sofrendo o diabo... e achando bom. Adivinhe qual dessas o pai da psicanálise liga às mulheres? Se você pensou no bizarro bordão misógino "mulher gosta de apanhar", não está muito longe da avaliação freudiana.

E o homem, segundo ele, tem maior inclinação a gostar de bater. "A sexualidade da maioria dos homens mostra um elemento de agressividade, de inclinação a subjugar, cuja significação biológica estaria na necessidade de superar a resistência do objeto sexual por algum outro meio além de fazendo-lhe a corte", afirma em seus *Três ensaios sobre a Teoria da Sexualidade*. Em contrapartida, a perversão masoquista estaria associada a uma fixação da atitude sexual passiva que tem origens lá na infância, no complexo de castração que vai definir a futura mulher. Ou seja, enquanto a natureza ativa do sadismo é a virilidade, a passividade do masoquismo é relacionada ao feminino.

Não que homens não possam ser masoquistas. Mas, para Freud, a necessidade de punição e humilhação vem de um estágio infantil de situação caracteristicamente delas, que significa ser castrado, penetrado ou dar à luz uma criança. Tudo que dói.

Freud ainda associa a mulher a um sentimento de culpa provocado por um masoquismo moral, que é uma necessidade inconsciente de ser punida pela mão do pai, tomar umas boas palmadas, como se fosse uma criança travessa. "Sabemos agora que o desejo, tão frequente em fantasias, de ser espancada pelo pai se situa muito próximo do outro desejo, o de ter uma relação sexual passiva (feminina) com ele", diz no artigo "O problema econômico do masoquismo".

FREUD SABIA QUE NÃO SABIA

Quanto menos literal é a interpretação que se faz dessas ideias sobre a sexualidade feminina, menos revoltante a coisa fica. Ainda mais levando em consideração o contexto cultural em que Sigmund Freud elaborou tudo isso. Se em pleno século XXI a mulher ainda precisa lutar por igualdade de oportunidades em relação aos homens, é evidente que, lá na Viena da virada do século XIX para o XX, as senhoras que chegavam ao consultório de Freud – fornecedoras da maior parte do conteúdo das elaborações do doutor – também queriam ter o que os homens tinham. Quando se pensa literalmente num membro viril como objeto desse desejo, não dá para concordar com quase nada do que Freud disse. Mas, pensando no pacote que vinha junto com aquele pênis – autoestima, autoridade, influência, liberdade, privilégios –, pelo menos o conceito central da inveja do pênis faz sentido. Basta trocar a expressão por "inveja do poder".

O próprio complexo de castração dos meninos fica mais tolerável sob esse ponto de vista. Na explicação literal de Freud, o garoto sente o temor de perder o pênis quando chega à idade de perceber as diferenças entre eles e elas, e nota que as meninas não têm o que ele tem. "Se cortaram o piu-piu delas, pode ser que queiram cortar o meu também." Esse é o raciocínio, segundo Freud. Mas pense que notar diferenças entre feminino e masculino, principalmente cem anos atrás, significava perceber que, enquanto as meninas eram educadas para ficar quietas e repetir os trabalhos domésticos da mãe, os meninos eram estimulados para a aventura, demonstrações de força e planos de grandeza. Para eles, o mundo; para elas, a cozinha e o tear. Perder esse "pênis", essa nítida vantagem em relação às restrições das meninas, seria, claro, motivo para ansiedade.

Ainda assim, é notório que a psicanálise clássica patinou ao tratar do desenvolvimento sexual na mulher – e que o perfil conservador de Sigmund Freud tem toda a culpa nisso. Seu fundamentalismo fálico – a noção de que toda a sexualidade, deles e delas, parte do pênis, ou do homem, melhor dizendo – o tornou incapaz de reconhecer a individualidade feminina. Suas ideias sobre a vocação para o matrimônio e a vaidade, e principalmente a inferioridade que, por ser anatômica, seria intrínseca a toda mulher, já eram contestadas à época – às vezes por gente tão próxima quanto seu amigo e biógrafo Ernest Jones. Ao mesmo tempo que sua representação de mulher era ligada ao narcisismo, à castração e à submissão, Freud temia a mulher poderosa, fálica – como prova sua declaração contrária a que a esposa assumisse uma profissão. Por fim, a visão de que a sexualidade delas é mero desdobramento da deles tem uma jurisprudência tão machista e mítica quanto a perspectiva freudiana: Eva, a primeira mulher, que nasce de uma costela de Adão.

Se Sigmund Freud não conseguiu superar os próprios preconceitos nessa empreitada, ao menos reconheceu desde sempre as lacunas do seu pensamento nesse assunto. Tanto nos livros quanto em seus ensaios, repetiu que havia muito a descobrir ainda sobre a questão – e que talvez nem fosse o homem certo para tais elucubrações. Dizia que os escritores e os poetas provavelmente seriam candidatos mais preparados para decifrar o enigma da sexualidade feminina.

Sua confissão dessa incapacidade ficou famosa. Em conversa com a amiga Maria Bonaparte – psicanalista que era sobrinha-bisneta de Napoleão –, Freud assumiu: "A grande questão que nunca foi respondida, e que eu ainda não fui capaz de responder, apesar de meus trinta anos de pesquisa sobre a alma feminina, é: o que quer uma mulher?".

PARTE 3
É GUERRA!

Segundo a psicanálise, a experiência humana na Terra é um moto-perpétuo de conflitos – tanto com o mundo lá fora quanto dentro da gente. Enquanto nossos impulsos primitivos arrumam briga com a civilização, repressora dos nossos desejos, temos três subpersonalidades que transformam a nossa mente num ringue de MMA. O resultado desse quebra-pau, para Freud, é uma sociedade neurótica, feita de indivíduos com uma psique meio camicase – preparada para matar e morrer.

CAPÍTULO 8
DEUS E O DIABO NA TERRA DO EGO

Em sua segunda tópica, Freud dividiu a mente em id, ego e superego, teoria que contrapõe nosso lado psicopata e tarado às censuras que herdamos dos pais. A personalidade de cada um é o que sobrevive a esse enfrentamento de titãs, graças a mecanismos de defesa da nossa sanidade mental – que às vezes mais atrapalham que ajudam.

Em 1954, pesquisadores da Universidade McGill, no Canadá, descobriram que ratinhos podiam se matar de tanto perseguir sensações de prazer, indiferentes às consequências dessa balada muito louca. Os cientistas introduziram eletrodos em algumas partes do cérebro dos animais, e, quando um rato batia a pata numa alavanca, recebia um estímulo elétrico nessas regiões. O estímulo tanto podia ser prazeroso como repulsivo, ou não provocar reação nenhuma no bichinho. A surpresa veio quando a escolhida foi a área septal do sistema límbico – uma parte responsável pelas nossas emoções. Os ratos gostaram tanto dos choquinhos nessa área do cérebro que não pararam mais de bater na alavanca, sem dar bola para mais nada. Mais nada mesmo: esqueceram-se de comer e beber, e morreram de cansaço. Essa área, sabe-se hoje, está relacionada às nossas sensações de prazer, principalmente prazer sexual – é onde fica nosso centro de orgasmo. E o estudo canadense[7] revelava ali, mais de sessenta anos atrás, a evidência de que temos um centro de recompensa no cérebro e que ele incita comportamentos inconsequentes de autoestimulação – que podem ser muito destrutivos, levando à morte até. Funcionou assim para o tesão dos ratinhos, funciona assim para o vício em drogas dos seres humanos.

Décadas antes dessa descoberta, Sigmund Freud já tinha afirmado que temos uma instância psíquica que só quer saber de ir atrás de prazer, prazer e mais prazer, como se não houvesse amanhã. É o que ele chamou de id, uma espécie de subpersonalidade tarada, agressiva, egoísta e mimada, que vive brigando com duas outras instâncias: o superego e o ego. A primeira é repressora, um avesso do id, enquanto a segunda é conciliadora, tenta encaixar as doideiras do id nas exigências do mundo real.

Curiosamente, a neurociência também descobriu mecanismos cerebrais que freiam nosso impulso de só agir por prazer. Em 2012, a Universidade de Iowa, nos Estados Unidos, comprovou[8] por ressonância magnética que temos uma área no cérebro, o córtex pré-frontal dorsolateral, que entra em ação sempre que precisamos de autocontrole – diante da quarta fatia de pizza, por exemplo.

O paralelo existe, mas os anjinhos e diabinhos da mente humana são muito diferentes dependendo de o ponto de vista ser freudiano ou da neurociência. O sistema límbico tem suas autorregulações, está longe de ser algo como o id caótico de Freud, incitador de barbari-

---

7 OLDS, James; MILNER, Peter. *Positive Reinforcement Produced by Electrical Stimulation of Septal Area and Other Regions of Rat Brain*. v. 46, n° 6, p. 419-417, 1954.

8 HEDGCOCK, W. M.; VOHS, K. D.; RAO, A. R. "Reducing self-control depletion effects through enhanced sensitivity to implementation: Evidence from fMRI and behavioral studies". *Journal of Consumer Psychology*, v. 22, n° 4, p. 486-495, 2012.

dades e comportamentos imprevisíveis. Mas o denominador comum é um fato que tanto a ciência moderna quanto a psicanálise identificaram: nossa mente é um território em eterno conflito, onde se digladiam a busca do prazer e mecanismos inibitórios.

A SEGUNDA TÓPICA

Você já viu neste livro: Freud usou o termo *tópica* para falar das divisões do aparelho psíquico, e fez isso duas vezes. A primeira, que surgiu na virada do século XIX para o XX, divide esse aparelho em consciente e duas modalidades de inconsciente: o inconsciente de fato, aquele cujos conteúdos não chegam à consciência – a não ser que distorcidos pelos mecanismos do sonho, dos atos falhos e pelos sintomas –, e o pré-consciente, composto de pensamentos latentes, que podem chegar à consciência a qualquer momento.

Já a segunda tópica apresenta um novo trio formador da nossa personalidade: id, ego e superego. Essa divisão começa a ser apresentada em *Além do princípio do prazer* (1920), mas ganha corpo mesmo três anos depois, no ensaio *O ego e o id*.

E atenção: essa segunda teoria não invalida nem substitui a primeira – nem podia, já que a essência da psicanálise está no conflito entre consciência e universo inconsciente. Na verdade, a nova tópica dialoga com a primeira, tornando a nossa psique um lugar muito mais sofisticado – e complicado. Por exemplo, o id estaria completamente mergulhado no inconsciente – ainda bem, ou suas loucuras estariam à solta –, enquanto o ego e o superego têm partes significativas expostas na consciência.

O importante é que o cabo de guerra entre essas instâncias resulta na complexidade dos comportamentos humanos – define o tipo de pessoa que você é.

Porém, antes de chegarmos às particularidades de cada uma delas, é importante conhecer dois princípios que regem o funcionamento mental, segundo a psicanálise: o princípio do prazer e o princípio da realidade. Freud falou deles pela primeira vez em 1911, no ensaio *Formulações sobre os dois princípios do funcionamento mental*, bem antes de lançar ao mundo sua segunda divisão da mente.

O primeiro tem por objetivo proporcionar prazer e evitar desgostos, custe o que custar. Ele pede que a mente se esforce para atender aos nossos impulsos mais básicos e primitivos: sexo, raiva, fome etc. Enquanto esse impulso não é atendido, a mente fica num estado de ansiedade, que só desaparece quando o estímulo é satisfeito. Sabe aquela pessoa que fica num tremendo mau humor quando está com fome? É por aí.

Já o princípio da realidade confronta o do prazer, impondo as restrições necessárias para que nossas vontades se adaptem ao mundo real. Não é viável – nem possível – fazer sexo a toda hora, em qualquer lugar, por mais que você esteja a fim. Esse princípio nos lembra que é preciso cair na real: não dá para ser feliz o tempo todo.

Mas, ah, estávamos falando das instâncias da segunda tópica. Vamos a elas.

ID

Movido pelo princípio do prazer, o id é a parte da mente que quer gratificação imediata de todos os seus desejos e necessidades. Imagine-se vivendo uma eterna primeira infância, quando você chorava se tinha fome, arrancava um boneco das mãos do amigo porque queria o brinquedo – e esperneava se sua mãe o devolvia ao dono –, dava um pontapé no gatinho da sua avó só porque achou o miado dele engraçado. Bebês estão sempre com o id no controle, já que é a única instância psíquica que, segundo Freud, está presente desde o nascimento. Mas há muitos exemplos de id desgovernado também na vida adulta, como o tarado que coloca o pênis para fora no ônibus, mesmo sabendo que haverá consequências, ou a pessoa que, diante de uma promoção no site de vinhos, gasta muito mais do que sua condição financeira recomenda (sou eu, admito). Aliás, o cartão de crédito é uma incrível ferramenta para colocar o id atropelando o que vier na frente.

E preste atenção à ideia de a gratificação ter de ser imediata – como o neném faminto que chora horrores exigindo o peito materno, não querendo saber se a mãe está numa videoconferência ou dirigindo na estrada. No caso do tarado, ele não espera estar trancado num banheiro para se masturbar – faz em público mesmo, na hora em que dá vontade. E o consumidor impulsivo não consegue esperar o salário entrar no começo do mês seguinte – acha que precisa comprar agora.

Freud apresentou o id como a única parte da nossa personalidade que é totalmente inconsciente, onde se escondem nossos pensamentos mais ogros. Assim como um vilão de história em quadrinhos, o id não conhece freios morais nem dá bola para a ética da sociedade. Só quer buscar satisfação – o que, claro, não é uma possibilidade realista se você não for um vilão de HQ. Se fôssemos guiados só pelo princípio do prazer, sairíamos pela rua estuprando – para satisfazer um desejo sexual momentâneo –, roubando – a versão adulta do bebê que pega o brinquedo do colega sem autorização –, agredindo, rindo em horas impróprias, comendo e bebendo até vomitar, ingerindo drogas até a overdose. Seríamos violentos e tarados.

Deu para pescar que o id é um lado psicopata da nossa personalidade. Mas há um bom motivo para ele existir. Imagine alguém sem impulsos de atender às próprias necessidades e desejos. Esse alguém morreria de fome. E a espécie humana não iria para a frente se os primeiros hominídeos não respondessem aos seus desejos sexuais, já que não existiria reprodução.

O que o id faz é tentar diminuir aquela ansiedade criada pelo princípio do prazer. Por exemplo, se você sente fome, começa a ficar tenso, pensando "preciso comer". O id então chega e diz "Cara, se está com fome, come logo e para de sofrer por causa disso". Bom, né? O problema é que ele não conhece medida, e também pode soprar no seu ouvido algo assim: "Cara, a fome é grande. Pede logo esse sanduba de picanha com provolone, maionese, catupiry e cebola empanada. Melhor: pede dois". Ah, mas você está de dieta, precisa perder dez quilos. O id não está nem aí para esse detalhe. Só quer recompensa imediata. Quem tenta ajustar esse desejo às circunstâncias da vida real é a próxima instância teorizada por Freud.

EGO

Enquanto o id é guiado pelo princípio do prazer, o ego se baseia no princípio da realidade. É uma espécie de mediador entre a impulsividade do id e as condições externas, fazendo a interação da sua personalidade com as leis do seu país, a cultura do seu tempo, as regras de etiqueta e as normas do bom convívio. Dependendo da versão de Freud que você encontrar, o ego é traduzido por "Eu", o que dá bem a ideia de que essa instância, adequando as suas vontades ao mundo em volta, acaba sendo quem você é de fato aos olhos das outras pessoas.

E essa parte da nossa personalidade não existiria sem o id – é dele que o ego tira suas forças. Freud gostava de comparar essa relação com o cavaleiro (ego) sobre um cavalo (id). É o animal que tem a energia para mover a dupla à frente, sem ele não haveria movimento. Mas é o cavaleiro, usando as rédeas, quem diz quando avançar e por quais caminhos – e também quando é a hora de parar.

Nessa condução do cavalo selvagem que existe dentro de cada um, o ego pesa os custos e benefícios dos desejos do id antes de liberar esse ou aquele comportamento. E ele também possui um agudo senso de *timing*. Em diversas situações, vai acabar permitindo a gratificação exigida pelo id, mas só na hora certa. Por exemplo: um rapaz está no meio do público de um show de rock, dançando de pé no setor pista, e dá vontade de fazer xixi. Só que o banheiro mais próximo fica a dez minutos de muito empurrão em meio a uma massa de fãs do Metallica. Isso gera uma tensão que o princípio do prazer vai querer eliminar na hora – "Abre a braguilha e manda brasa aqui mesmo". É então que o princípio da realidade faz o ego disparar um pensamento mais senhor da razão: "Calma, se fizer isso você vai revoltar toda essa galera, além de molhar a própria calça; o show já está no bis, a vontade ainda é pequena, dá para esperar a banda sair do palco, aí você vai ao banheiro sossegado".

Em outras situações, o ego vai ter de negar mesmo a gratificação. Naquele mesmo show, o rapaz vê uma garota bonita cantarolando "Nothing Else Matters" com a camiseta molhada de suor e de chuva. O princípio do prazer logo lhe dá a ideia pouco inteligente de ir correndo se atracar àquele corpo que o pano mal consegue esconder. O ego então rebate com o mundo real: levando em consideração que a satisfação desse desejo renderia a) um grito de "tarado" por parte da moça, b) a possibilidade de um linchamento, c) provavelmente prisão... Que tal só puxar conversa com ela?

Também vale dizer que, antes da elaboração da segunda tópica, o ego era confundido com a própria consciência humana. E contribui para essa identificação a ideia de ele lidar com as percepções conscientes que adquirimos pelos sentidos – e que vão nos dar o contexto do mundo externo. "A percepção tem, para o ego, o papel que no id cabe ao impulso", afirma Freud. "O ego representa o que se pode chamar de razão e circunspecção, em oposição ao id, que contém as paixões."

Apesar dessa identificação com a consciência, a batalha interna para refrear os estímulos cheios de tesão do id deixou claro para Freud que grande parte desse nosso "eu" ainda opera nas trevas do inconsciente.

SUPEREGO

Já vimos as instâncias guiadas pelos princípios do prazer e da realidade. Agora vamos tratar daquela que segue o que poderíamos chamar de "princípio do dever". O superego se baseia nos valores da sociedade e nas regras de conduta que herdamos dos nossos pais para agir como um juiz das nossas intenções – um tipo de juiz cheio de cartões vermelhos no bolso. Essa é a parte moral da nossa personalidade, a fonte dos nossos pensamentos de autocontrole que vão servir para empatar o jogo no ego, medindo forças com os impulsos "vamos que vamos" do id.

Diferentemente do ego, que tenta adiar a gratificação do id para momentos e locais mais adequados, o superego tenta barrar mesmo qualquer satisfação. Vê sempre o lado vazio do copo. Outra diferença essencial é que, mesmo que o ego e o superego cheguem à mesma conclusão sobre alguma coisa – afinal, ambos têm funções de censura –, o superego tem esse raciocínio por motivos morais, enquanto o pé atrás do ego tem base nas consequências que a ação pode acarretar.

"Meu Deus, o que os outros vão pensar?" é o ego questionando o id. "Não vai fazer isso nem a pau, essa ação é errada e indecente" seria o superego.

Segundo Freud, o surgimento dessa instância repressora tem tudo a ver com o complexo de Édipo. Num primeiro momento da nossa infância, quando esse complexo está a todo vapor, nossos impulsos são contidos pela autoridade dos pais, que estão sempre alternando suas provas de amor com advertências e punições – a menininha acha graça em jogar o iogurte no chão, e lá vem uma reprimenda para acabar com a alegria. Quando, então, a criança supera o complexo de Édipo – e seu universo passa a se estender para além da relação com os pais –, essas proibições são internalizadas. Você mesmo assume os "não pode", "não deve", "para com isso", que antes vinham só da boca do papai e da mamãe – para Freud, principalmente do papai. "O superego conservará o caráter do pai, e quanto mais forte foi o complexo de Édipo, tanto mais rapidamente (sob influência de autoridade, ensino religioso, escola, leituras) ocorreu sua repressão, tanto mais severamente o superego terá domínio sobre o ego como consciência moral, talvez como inconsciente sentimento de culpa." E segura que lá vem mais um bocado da perspectiva machista de Sigmund Freud.

A fase edipiana do menino termina quando, sob a ameaça de castração representada pelo pai, o moleque renuncia ao desejo pela mãe, passando a se identificar com as proibições e regras das quais o pai é o portador – ou era, nos tempos de Freud, quando o homem seria sempre o chefe da casa. É assim que a internalização de um sistema de obrigações e ideais, ligado à figura paterna, gera essa parte da personalidade no menino.

Ou seja, o medo de perder o pinto por causa dos seus desejos faz nascer o superego.

E nelas? Afinal, menina não tem pinto para perder. O complexo de Édipo funciona de forma diferente aqui: a garota se revolta com a mãe, achando que ela é a culpada pela sua ausência de pênis, e volta seu desejo na direção do pai – já que ele tem o que ela inveja. Assim, enquanto o medo da castração faz o menino sair do complexo de Édipo, é a constatação de que "é castrada" que faz a menina entrar nesse complexo. Freud não descobriu direito por que a menina uma hora acaba deixando a fase edipiana para trás. Mas o que importa agora é algo que ele acha que descobriu: se a menina já é "castrada", e assim não tem um pênis para colocar em risco, ela é um tipo de ser humano sem nada a perder. O superego, por isso, seria frágil nas mulheres, e isso explica a visão de que "mulher é tudo louca": segundo Freud, elas falham na sua moralidade, falham na tomada de decisões racionais, são impulsivas e precisam de alguém – um homem, claro – que as contenha.

E a comparação negativa para o lado das mulheres não para aí. O superego, além de fazer papel de censor e agente da moral e dos bons costumes, é a principal instância de aperfeiçoamento do indivíduo – tem funções educativas, é transmissor dos valores da sociedade e da ética dos pais. Assim, busca a construção de um ideal de pessoa. Já a mulher, com seu superego subdesenvolvido, teria problemas de caráter. A ponto de Freud acreditar que, devido à bissexualidade inerente a todo indivíduo, o homem nunca atingirá uma condição de suprassumo da existência. Afinal, tem em si uma porção feminina estragando tudo.

SACO DE PANCADAS

Sim, o conflito entre essas três instâncias é um verdadeiro MMA no nosso ringue psíquico. E quem toma porrada é sempre o ego. De um lado, precisa dar uma chave de braço no id para conter seus impulsos agressivos e sexuais – mas não com tanta força que o impeça de aliviar a tensão que um desejo impõe. De outro, precisa suportar os cruzados do superego, que quer construir o indivíduo mais certinho da humanidade, criado à base de leite com pera. "Vemos esse ego como uma pobre criatura submetida a uma tripla servidão", diz Freud, "que sofre com as ameaças de três perigos: do mundo exterior, da libido do id e do rigor do superego."

Com golpe vindo de todo lado, não é de estranhar que haja tanto remédio para ansiedade. Nossos sentimentos de culpa, que geram uma baita tensão, nascem desse conflito entre o ego e o superego, entre aquilo que somos e o que a parte mais moralista da nossa personalidade gostaria que fôssemos – na nossa mente, o nosso eu está sempre sendo julgado.

Transferindo para um exemplo do cotidiano, essa tensão se manifesta sempre que você termina de raspar uma lata de leite condensado. Muita gente com problema de peso tem de encarar essa briga de foice entre um id devorador e um superego fazendo cara de "que absurdo!" diante da balança.

Para se ter uma ideia do problemão que esse conflito pode gerar, Freud afirma que, em muitos crimes, o sentimento de culpa vem antes do ato em si – sendo sua verdadeira causa, não sua consequência. O ato criminoso seria uma tentativa de aliviar a tensão que o sentimento inconsciente gera, associando-o finalmente a um crime de fato. Lembre-se de que o id, nossa instância mental sociopata, age sempre para reduzir uma ansiedade gerada por um desejo.

Como, então, sair inteiro desse ringue psíquico? Freud usou a expressão *força do ego* para se referir à capacidade da mente de lidar com instâncias em conflito. Um ego forte permite administrar bem essas pressões, impedindo que uma das instâncias seja tão dominante que resulte numa personalidade desequilibrada.

Alguém que tenha o id hiperativo tende a ser excessivamente impulsivo e incontrolável na busca por satisfazer seus desejos. É o perfil clássico do psicopata, a pessoa que não pensa duas vezes antes de pisar nos outros para atingir o que quer. O traficante colombiano Pablo Escobar, responsável por cerca de 4 mil assassinatos, é um bom exemplo. Quando soube que um garçom havia roubado prataria da sua casa, Pablo ordenou que seus jagunços amarrassem os pés e as mãos do rapaz e o jogassem na piscina – onde, claro, o garçom morreu afogado. Além da desproporção do corretivo – "você rouba uns garfos meus, eu te mato" –, não havia, na mente de Pablo, força do ego suficiente para deixar a ação para outra hora, até o momento em que a raiva passasse. Com o id a toda, Escobar assassinou o garçom no meio de uma festa, na frente dos seus próprios convidados. E assim satisfez um desejo de vingança.

Já um superego dominante gera um indivíduo moralista, paralisado pelos impedimentos que sua mente impõe a vida toda. É um perfil que se encaixa bem nos fanáticos religiosos, que guiam suas condutas tendo como ponto de partida sempre um conjunto de proibições.

A boa notícia é que esse conflito é produtivo também. As três instâncias trabalham juntas na formação do seu comportamento. O id cria as demandas, o ego acrescenta as necessidades da realidade e o superego incorpora a moral à ação. Segurando a onda dos elementos mais radicais dessas influências, o resultado pode ser um indivíduo em paz consigo mesmo – ainda que, às vezes, sua mente tenha de recorrer a escudos e disfarces para chegar lá.

MECANISMOS DE DEFESA DO EGO

Sobreviver a essa guerra exige que a psique também tenha suas armas. Não para atacar, mas para se proteger. São os mecanismos de defesa do ego, conceitos teóricos introduzidos por Freud em diversos artigos e que foram discutidos com mais profundidade por sua maior herdeira intelectual: a própria filha. "Com os trabalhos de Anna Freud, a noção de mecanismo de defesa voltou a se tornar central na reflexão psicanalítica e assumiu até mesmo o valor de conceito", explica a francesa Elisabeth Roudinesco. "Os mecanismos de defesa interviriam contra as agressões pulsionais, mas também contra todas as fontes externas de angústia, inclusive as mais concretas."

Segundo a psicanálise, portanto, esses mecanismos mentais são estratégias inconscientes para que o indivíduo consiga se defender de um monte de coisa: da ansiedade provocada pelo conflito entre id e superego, dos pensamentos inaceitáveis que querem vir do inconsciente e das pressões da realidade externa. Para isso, esses processos criam disfarces para os pensamentos com maior potencial de dano, impedindo que a pessoa esteja consciente deles – e conseguindo que os machucados doam menos, se chegarem a doer.

Foi em 1936 que Anna Freud mergulhou nos mecanismos de defesa do ego sugeridos na obra de seu pai. Os principais, nós vamos ver agora.

Projeção

Está se sentindo culpado por um desejo proibido, um comportamento impróprio ou um mau-caratismo da pior espécie? Seus problemas acabaram: é só jogar a batata quente dessa culpa no colo de outra pessoa – uma transferência de responsabilidade que pode acontecer dentro da sua cabeça, via projeção. Esse mecanismo faz com que o indivíduo *projete* em outras pessoas as suas inseguranças e sentimentos desagradáveis. Assim, ele consegue tirar a carga emocional das próprias costas – botando a culpa em alguém.

E tudo começa com o reconhecimento em si mesmo de algo que lhe cause sofrimento. Caso você esteja querendo brigar com seu irmão porque tem ciúmes da relação que ele tem com seus pais, a dificuldade de aceitar que é uma pessoa ciumenta faz com que você comece a inventar motivos para achar que, na verdade, é o seu irmão quem está tentando brigar com você.

Também pode acontecer quando, intimamente, a pessoa se acha um peso morto na empresa. Em vez de reconhecer o problema, ela começa a comentar com os outros que um novo colega está querendo mostrar serviço demais, e vai queimar o filme de todo mundo. É uma forma que a mente encontra de avisar à consciência que o próprio indivíduo não está fazendo jus ao emprego, mas sem ir direto ao assunto – e, portanto, sem provocar as dores dessa culpa.

Formação reativa

É agir da maneira oposta ao seu desejo oculto – e exagerando nessa inversão. Por exemplo, a ciência já mostrou que homofóbicos raivosos são, na verdade, homossexuais reprimidos. Um estudo[9] de 1996, da Universidade da Geórgia, nos Estados Unidos, investigou a reação de homens declaradamente heterossexuais a cenas de sexo gay. Entre os pesquisados – 64 voluntários, com média de vinte anos de idade –, havia homens que disseram não gostar de homossexuais, mas também héteros que não manifestaram nenhuma rejeição à ideia de outras pessoas terem vínculos homoafetivos. Durante o estudo, enquanto os pesquisadores exibiam um filminho pornô gay, um aparelho ligado ao pênis de cada participante media o nível de excitação sexual de cada um. Adivinhe, então, qual grupo teve movimentos no pênis ao assistir às cenas de pegação homem com homem... Sim, os homofóbicos. Um clássico da formação reativa.

---

9 ADAMS, Henry; WRIGHT, Lester; LOHR, Bethany. "Is homophobia associated with homosexual arousal?". *Journal of Abnormal Psychology*, v. 105, n° 3, p. 440-445, 1996.

Sublimação

Eis aqui um mecanismo que deveria ser implantado por chip no cérebro dos políticos, porque basicamente transforma pensamentos ruins em atos bons, construtivos, generosos – no mínimo, em comportamentos socialmente aceitáveis.

Alguém obcecado por games de luta pode estar sublimando uma agressividade que, se dependesse só do que está no inconsciente, tornaria o indivíduo um criminoso. E alguns esportes também permitem essa transformação regeneradora. Se você descer a porrada no seu vizinho barulhento, a polícia vai aparecer na sua casa. Mas, se você der golpes no seu adversário num torneio de judô, sua vocação para o confronto físico será não apenas aceita como pode lhe render uma medalha olímpica.

E não é só para a agressividade que esse mecanismo funciona. Alguém com desejo de ter relações extraconjugais pode aproveitar os momentos em que o cônjuge não está por perto e sublimar essa vontade... pintando as paredes da casa toda, ou organizando sua coleção de quatrocentos discos de vinil. Sim, além de colocar o indivíduo para fazer uma coisa útil com seus impulsos, a sublimação pode evitar divórcios.

Regressão

Você já levou um ursinho para o trabalho novo ou decorou seu ambiente no escritório com figurinhas de um álbum que pouco tem a ver com a sua idade? Essa volta a um comportamento infantil é a maneira que a psique encontra para lidar com aflições da vida adulta que o indivíduo não quer encarar de frente. É o caso da pessoa que, diante da morte de alguém querido, só consegue um pouco de conforto dormindo na sua antiga cama, na casa dos pais. Na regressão, a mente se apega a formas de gratificação do seu passado, geralmente ligadas à infância, para contornar questões dolorosas.

Outro bom exemplo existe nos desenhos do Snoopy: o personagem Linus, amigo do Charlie Brown, tem um "cobertor de segurança" ao qual ele se apega como se fosse um bebê. Sem a mantinha, o garoto fica paranoico e tem ataques de ansiedade, simplesmente não consegue lidar com as interações do dia a dia sem o acessório – remanescente de um tempo em que o berço quentinho era o lugar mais seguro do mundo.

Anulação

É um tipo de atitude que busca o cancelamento de uma experiência desagradável, tenha sido ela real ou apenas em pensamento. Por exemplo, um indivíduo tem ímpetos de dar uma surra numa criança – uma violência que ele mesmo considera repugnante. Aí o mecanismo mental o protege dessa autoimagem de agressor de menores fazendo com que ele se comporte de modo a *remediar* esse *ato* – ainda que, no caso, ele nunca tenha partido mesmo para as vias de fato. De uma hora para outra, o homem vira um doce de pessoa com a molecada: faz esculturas de balões nas festinhas, vê o mesmo desenho repetidas vezes com a paciência dos santos penitentes e, mais importante, defende os menininhos que apanham dos seus pares mais brucutus.

Mas esse sistema também tem seus riscos, e o mecanismo pode descambar num comportamento pior do que o pensamento original – aquele do qual o ego deveria se proteger. Alguém que seja um obsessivo da limpeza no ambiente de trabalho pode inconscientemente sentir culpa por esse exagero – quiçá influenciado pelos comentários irônicos dos colegas mais porquinhos. Aí, em casa, escondido dos outros, Mr. Clean assume a identidade do Cascão: deixa restos de pipoca no sofá e a pia entulhada de louça. Assim, fazendo a festa das baratas, a pessoa anula a mania de limpeza que a deixava ansiosa.

Negação

Esse é perigoso! Ao fazer com que o indivíduo se recuse a aceitar que algum evento traumático ocorreu de verdade – ou ainda ocorre –, o sistema de defesa pode se transfigurar em alienação ou, pior, em delírio mesmo. Mas essa negação pode acontecer em vários níveis. Nesse grau mais extremo, o mecanismo atinge o inconsciente, e a pessoa realmente acredita que o fato não aconteceu. Como a mãe que arruma o quarto do filho morto e fica esperando que ele volte para casa à noite. Ou o alcoólatra que jura de pés juntos que não tem problema com bebida e que só depende da própria vontade para não enfiar o pé na jaca de novo. Mesmo diante da realidade dos fatos – a recorrência dos porres, a cirrose –, ele honestamente acredita que pode parar quando quiser.

Mas a negação também opera no nível da consciência, como quando uma mulher que sofre violência do marido fala às amigas sobre como ele é carinhoso, negando os maus-tratos. Ela pode não saber por que é agredida nem por que mente para as amigas, mas ela sabe que apanha – tem consciência do próprio martírio. Outro exemplo pode ser o do pai de família que tinha uma fortuna e perdeu todo o seu dinheiro na crise, mas continua tendo hábitos de rico. Nesses casos, e em muitos outros nos quais pensamentos estressantes são evitados com uma fuga da realidade, a negação tem um custo alto: fazer de conta que o problema não existe é a forma mais garantida de perpetuá-lo.

Racionalização

É outro mecanismo que funciona em vários níveis. Pode ser a justificativa para um ato que a pessoa no fundo condena ou, ainda, a tentativa de achar uma explicação positiva para uma situação difícil.

No primeiro caso, quando a pessoa faz algo que a moral do superego desaprova, o ego dá um jeito de arrumar razões que atenuem essa desaprovação. Por exemplo, a pessoa não resiste à impulsividade do id e compra um apartamento de bacana num dos bairros mais caros da cidade – uma aquisição acima de suas posses. Ela racionaliza esse ato dizendo para os outros – e para si mesma – que o próximo ano deve ser de boas notícias no trabalho, um aumento de salário é quase certo, a economia está melhorando... Toda uma conjuntura provável – pelo menos na cabeça dela – que dá aparente sanidade à atitude irracional.

Como se vê, a necessidade de manter uma coerência entre ação e pensamento é forte nesse mecanismo. Como no caso da pessoa que bate nos filhos e busca na internet opiniões "pedagógicas" que deem aval à sua atitude. Até as próprias vítimas agem assim. Mulheres abusadas tentam achar razões para a violência que sofreram.

Já no segundo caso é quando, por exemplo, uma pessoa sozinha à noite ouve barulhos no quintal. Diante da ansiedade que esses ruídos provocam, o indivíduo começa a buscar explicações razoáveis que ofereçam uma versão positiva às suas piores suspeitas. "Não deve ser um ladrão tentando invadir a casa porque vi uma notícia no jornal dizendo que nosso bairro é dos mais seguros. Deve ser o gato da vizinha, ele pode ter fugido. Ou o vento derrubou uma das samambaias." Tudo fica mais "racional" e aceitável que o revólver do ladrão diante do rosto.

Deslocamento

Já tratamos desse mecanismo de defesa quanto falamos dos atos falhos. O deslocamento é a substituição de um alvo desejado – e proibido ou inacessível – por um alvo substituto.

Um exemplo é o comerciante que ouve um tanto de absurdos do cliente e engole sapo – afinal, o cliente é a fonte dos seus rendimentos. Aí, quando chega em casa, desconta sua raiva, até então contida, nos filhos. O id queria gratificação imediata – dar um murro na cara do cliente –, mas o superego proibiu – seu trabalho depende de uma boa relação com a clientela, e isso não envolve socos no queixo. Então o ego encontrou uma hora e lugar para essa energia psíquica transbordante: brigar mais tarde, com alguém que não vá colocar em risco a sua capacidade de pagar boletos.

Repressão

Muito mais do que um mecanismo de defesa, falamos agora de um dos próprios alicerces da psicanálise. A repressão impede que conteúdos psíquicos incômodos cheguem à consciência do indivíduo, criando um tipo de amnésia, que pode ser temporária ou permanente. Até aí, parece bom. Esquecer pensamentos que nos fazem sofrer tem todo o jeitão de uma panaceia contra as nossas piores angústias. Mas você viu o filme *Brilho eterno de uma mente sem lembranças*? Quem assistiu sabe: de um jeito ou de outro, as recordações dolorosas, que deveriam ter sido eliminadas, vão voltar com força total.

O problema é que, por mais poderosa que seja, a repressão nunca faz o serviço completo: as memórias reprimidas não são deletadas pela mente – só estão escondidas. É como o lixo que você empurra para baixo do tapete: uma hora essa sujeira toda vai aparecer, e talvez da pior maneira possível. No caso das histéricas do século XIX, como vimos, esses pensamentos insuportáveis apareciam transformados em sintomas físicos. Mas, aqui no século XXI, geralmente surgem na forma de ansiedade ou comportamento disfuncional (como também ficamos sabendo na parte do livro que trata dos atos falhos).

Uma pessoa que tenha sofrido *bullying* na pré-escola pode não ter lembrança nenhuma desses abusos, mas "ganha" uma enorme dificuldade de se relacionar na vida adulta – e uma neurose digna de tratamento psicanalítico. Outro indivíduo pode ter fobia de aves

– ornitofobia é o termo técnico –, ainda que uma amnésia misteriosa o impeça de ter a mais vaga ideia de quando esse medo besta começou. Para quem vive em centros urbanos, e não em fazendas apinhadas de galinheiros, lidar com esse transtorno não é tão terrível assim: basta adquirir certa habilidade para driblar o zigue-zague das pombas na calçada ou treinar sua filha para espantar os pássaros para bem longe de você (este escritor fala por experiência própria). Mas, se o dia a dia com essa fobia pode ser razoavelmente administrável, o trauma que a provocou talvez não fosse – e teve de ser banido da mente consciente pela repressão, a capitã do time dos mecanismos de defesa do ego.

SUPERPROTEÇÃO É COISA DE DOIDO

Os mecanismos de defesa do ego têm tanto um lado bom quanto um ruim. Se preservam o indivíduo de ser assombrado o tempo todo por lembranças traumáticas e pensamentos incômodos, também blindam a pessoa contra o autoconhecimento. Em casos extremos, podem sair do controle e se transformar numa neurose profunda ou, pior, numa psicose. É o exemplo do indivíduo que nega para si mesmo algo que aconteceu ou vem acontecendo. Num estágio avançado, essa negação tira a pessoa do contato com a realidade. Gente que reage aos problemas chupando o dedo em posição fetal – a regressão – também não costuma estar nos melhores dias da sua saúde mental.

Anos depois de os Freud, pai e filha, apresentarem suas teorias, George Eman Vaillant (1934-), psiquiatra e professor de Harvard, classificou os mecanismos de defesa do ego em quatro níveis.

O estágio mais light é o nível 4, das "defesas maduras". São mecanismos de defesa geralmente encontrados em adultos emocionalmente sadios, que servem para manter esse controle psíquico e até gerar prazer. Podem ter sido desenvolvidos ao longo da evolução para potencializar a nossa capacidade de ter relacionamentos e atingir sucesso na vida. A sublimação é um exemplo: transformar um desejo impróprio numa atividade construtiva, como fazer jardinagem ou escrever um livro, é uma baita aula de desenvolvimento pessoal.

O segundo estágio mais tranquilo é o 3, das "defesas neuróticas", amplamente usadas por indivíduos de todo tipo – eu já disse aqui que, a princípio, somos todos neuróticos. Nesse nível, os mecanismos têm vantagens no curto prazo, mas geram problemas emocionais com o passar do tempo. É o caso clássico da repressão. Ela dá o benefício de conciliar nossos impulsos com o que a sociedade entende como apropriado, e um bom equilíbrio aí transforma você num modelo de cidadão. Por outro lado, pessoas muito reprimidas têm limitações e alterações de comportamento, como a ansiedade, que afetam sua qualidade de vida – é gente que precisa de ajuda.

O nível 2 é o das "defesas imaturas", encontradas em pessoas com depressão profunda e transtornos de personalidade. Em excesso, esse mecanismo pode levar à perda progressiva da realidade – e a um diagnóstico psiquiátrico perigoso. A projeção é um exemplo: transferir a responsabilidade de suas culpas para outras pessoas não é mentalmente sadio.

Mas o nível mais radical é o número 1, das "defesas patológicas". É o caso dos psicóticos, que rearranjam a realidade externa para não ter de lidar com a dura verdade. Ou seja, as pessoas que dependem muito desse tipo de defesa acabam vivendo num mundo de fantasia, têm comportamentos irracionais ou insanos aos olhos dos outros e precisam urgentemente de tratamento. A negação, em casos extremos, produz esses efeitos.

Não importa qual seja o estágio do mecanismo de defesa – e todos nós temos alguns –, a psicanálise surgiu como uma forma de fazer com que o indivíduo descubra o conteúdo inconsciente do qual está se defendendo, partindo do princípio de que conhecer seus perrengues é o primeiro passo para conseguir viver em harmonia com eles. Reconhecer essas emoções, em vez de distorcê-las ou evitá-las, pode nos ajudar, segundo Sigmund Freud, a sair razoavelmente bem dessa briga de foice dentro da cabeça.

E é bom mesmo manter sua paz interior tanto quanto for possível. Como se não bastassem esses conflitos entre você e você mesmo, ainda tem todo esse mundão lá fora querendo acabar com a sua felicidade.

É com ele que você vai ter de lidar nas próximas páginas.

CAPÍTULO 9
VOCÊ CONTRA A CIVILIZAÇÃO

Pulsão de morte é a energia destrutiva que explica tanto os jovens que brincam de roleta-russa quanto o que vai pela cabeça de ditadores genocidas. Esse namoro com o extermínio – às vezes de si mesmo – encontra estímulo na própria sociedade, que cerceia nossos desejos para se manter viável. Não dá para ser feliz.

O ano era 1932. Albert Einstein foi convidado pela recém-criada Comissão Permanente de Letras e Artes da Liga das Nações para debater com um interlocutor escolhido por ele sobre algum tema de interesse geral do planeta. O físico quis tratar das razões que levam os países a conflitos armados e escolheu Sigmund Freud para trocar cartas sobre o assunto. Falar a respeito da paz mundial, aliás, fazia todo o sentido na época – não era só papo-furado de Miss Universo.

A Primeira Guerra, aquela que os mais otimistas achavam que seria "a guerra para acabar com todas as guerras", havia terminado só quatorze anos antes, deixando cerca de 10 milhões de mortos. E, como sabemos, ela não acabou com os confrontos militares. A forma como terminou já deixava a pista de que esse filme teria sequência.

Isso porque os perdedores não ficaram lá muito felizes com os termos do Tratado de Versalhes, o acordo de paz que deu um fim oficial ao conflito fazendo exigências severas à parte derrotada, que iam muito além de aceitar a responsabilidade pelo quebra-pau. A Alemanha teve de ceder parte de seu território, ficou proibida de possuir Marinha e Força Aérea – com um Exército restrito, quase simbólico –, e ainda concordou em pagar uma fortuna de indenização pelos prejuízos causados pela guerra. O governo alemão não tinha como dizer não, mas a população se sentiu humilhada e indignada com o arranjo – e passou a dar ouvidos a políticos que se mostrassem propensos a jogar aquele tratado na lata de lixo. Um deles, ou o mais importante deles, era Adolf Hitler. Naquele mesmo 1932, o Partido Nazista elegeria 230 deputados e se tornaria o segundo com maior representação no Parlamento. No começo do ano seguinte, Hitler se tornaria chanceler da Alemanha.

Foi nesse cenário de ódio e instabilidade internacional que Einstein (1879-1955) – um pacifista declarado, apesar de ter contribuído com suas teorias para a criação da bomba atômica – tomou a iniciativa de escrever para Freud. O teor da mensagem era justamente um pedido de "esclarecimento psicológico" sobre o que seria possível fazer em favor da paz. Mas a resposta não foi bem o que o físico esperava. "Vigora no homem uma necessidade de odiar e aniquilar", escreveu Freud. "Tal predisposição, em tempos normais, apresenta-se em estado latente e só vem à tona no anormal. Mas ela pode ser despertada com uma relativa facilidade e se intensificar em psicose de massa."

Diante de uma declaração que mais parecia argumentar em favor da guerra – como uma extensão inevitável da natureza humana –, o pai da relatividade pediu mais explicações ao pai da psicanálise. A nova resposta veio, então, em forma de um manifesto político, intitulado *Warum Krieg?* (Por que a guerra?).

Nesse texto, bem mais demorado do que a carta de três páginas com que Einstein tinha começado o debate, Freud não chegou a negar o que já havia dito, pelo contrário: "Não há perspectiva de abolir as tendências agressivas do ser humano. Diz-se que, em certas regiões felizes da Terra, onde a natureza oferece prodigamente tudo o que os homens precisam, existem povos que têm uma vida de mansidão, em que são desconhecidas a coerção e a agressividade. Tenho dificuldade em crer nisso, gostaria de saber mais a respeito dessas criaturas felizes".

O que passa perto de ser otimista na carta de Sigmund Freud a Albert Einstein é justamente a ideia que, se temos uma energia mental voltada à destruição, ela tem uma contrapartida que busca a autoconservação e a união dos povos. Para Freud, um caminho possível para se evitar a guerra, então, passaria por manter internalizada essa energia destrutiva e dar espaço para que as pessoas externem um impulso que ele associou a Eros, o deus do amor. Quando estamos na base do "All You Need Is Love", formamos laços emocionais com as pessoas e desenvolvemos a empatia, dois importantes antídotos contra a guerra.

Freud diz ainda que o desenvolvimento da cultura ou da civilização, ao colocar obstáculos aos nossos impulsos destrutivos – afinal, não dá para viver em sociedade sendo um cão raivoso o tempo todo –, é o que dá melhor resultado na prevenção de grandes conflitos. Até que conclui a carta torcendo para que, num futuro indeterminado, diversas circunstâncias contribuam para o fim definitivo das guerras entre países – ainda que, pelo tom, dê para perceber que ele mesmo não acreditava muito nisso.

"Quanto tempo teremos de esperar até que os outros também se tornem pacifistas? Não há como dizer, mas pode ser uma esperança utópica que a influência desses dois fatores, da atitude cultural e do justificado medo das consequências de uma guerra futura, venha a terminar com as guerras num tempo não muito distante. Por quais meios ou rodeios, não chego a perceber."

Essas passagens na carta de Freud sobre pulsões amorosas e destruidoras, e a vida em sociedade agindo contra os impulsos que existem no inconsciente de cada indivíduo, são uma extensão das teorias que, na época, ele já tinha explicado em duas obras: *Além do princípio do prazer* (1920) e seu maior best-seller, *O mal-estar na civilização* (1930).

Neste último, aliás, Freud faz menção ao antissemitismo nazista que culminaria na Segunda Guerra, nove anos depois, e seria a razão pela qual ele seria obrigado, quase no fim da vida, a deixar Viena em busca de um abrigo seguro em Londres, distante da polícia política de Hitler. "O Diabo seria o melhor expediente para desculpar Deus, teria a mesma função de descarga que têm os judeus no mundo do ideal ariano."

Mas vamos começar essa investigação das origens do ódio, segundo Sigmund Freud, pelas energias conflitantes que respondem pelos nossos ímpetos de fazer amor e fazer chacinas – às vezes, ao mesmo tempo: as pulsões de vida e de morte.

A ORIGEM DAS VONTADES

Pulsão é um impulso interno, a carga de energia que nos faz levantar da cama pela manhã, procurar comida, um beijo ou uma transa para começar bem o dia; que nos faz chutar uma bola, escrever textão no Facebook, pedir aumento no emprego ou pedir demissão. Está na origem da atividade motora do organismo e do funcionamento mental do ser humano. E – isso é importante – está no nosso inconsciente, o que torna a coisa toda difícil de controlar – não é à toa que falamos nas dificuldades de "dominar nossos impulsos".

Antes de seguir com a explicação, vale dizer que, dependendo da tradução de Freud que você encontrar, o termo "pulsão" pode estar trocado por "instinto". Isso tem a ver com as primeiras traduções do autor, que foram feitas em inglês e influenciaram toda a literatura sobre Freud no planeta. Mas a palavra alemã *Trieb* está mais ligada a impulso, pulsão. Freud também falava em instinto, mas no sentido de um comportamento animal fixado pela hereditariedade. Por isso, demos preferência, neste livro, a pulsão.

As pulsões, para Freud, podem ser de vida e de morte. Mas, independentemente da sua natureza, têm quatro características básicas. São elas:

Sua fonte é o nosso próprio corpo

Uma pulsão é a vontade do nosso organismo exigindo uma resposta da mente.

Pressão constante

A pulsão exerce uma excitação que nunca termina. Repare na diferença entre a pulsão e a necessidade. Se você tem sede, bebe um copo de água e essa necessidade acaba. Já a pulsão é uma busca eterna por gratificação – ela não tem fim. Se você tem uma pulsão relacionada a ser amado, por mais que receba declarações da sua alma gêmea nas mídias sociais, a pulsão permanece – ela nunca é completamente satisfeita. Ou seja, é um desejo que vai além da mera necessidade. Um bebê pode sugar o leite da mãe porque tem a necessidade de alimento, mas pede a chupeta – ou o peito de novo – movido por uma pulsão, uma pressão voltada para o prazer. Troque a chupeta por um copo de cerveja, que você leva à boca cinquenta vezes numa noite sem ter sede, e a coisa fica mais visível.

Seu objetivo é encontrar satisfação

Mesmo que não vá satisfazer algo que será positivo para nós. Agredir um segurança de shopping pode acabar mal para a pessoa, mas o impulso de agressividade naquele momento estará aliviado.

É direcionada a um objeto

Já ouviu falar em "objeto de desejo"? Mas não precisa ser um objeto físico – pode ser tanto uma Lamborghini quanto "virar a garota mais popular do YouTube". O que não muda é a pressão. Um impulso consumista, por exemplo, não vai parar na Lamborghini. O objeto – o carro, nesse caso – vai mudar para uma mansão em Mônaco, um jatinho particular ou uma mecha do cabelo do John Lennon (que foi leiloada em 2016 por 35 mil dólares).

PULSÃO DE VIDA

Como o próprio nome diz, é um impulso do bem. A pulsão de vida pode ser representada pelas ligações amorosas que estabelecemos com outras pessoas e com nós mesmos. A ideia, derivada das teorias da sexualidade de Freud, é unir para construir: fazer ligações para constituir unidades cada vez maiores e mantê-las. Ter filhos e cuidar desses descendentes, que você precisa ver sempre saudáveis e com boas notas na escola, faz todo o sentido. Mas é só um exemplo. No extremo do pensamento freudiano, um corpo multiplica suas células e as une para manter um organismo vivo graças à energia orgânica da pulsão de vida.

Essa pulsão traz em si impulsos eróticos e de autoconservação. Foi por causa dos primeiros que Freud relacionou a pulsão de vida à figura de Eros, o deus grego do amor. Já quando você tem impulsos voltados a se desviar de perigos – reais ou imaginários –, é a sua pulsão de vida trabalhando para salvar a sua pele.

PULSÃO DE MORTE

Freud percebeu, ao longo de sua prática clínica, que muita gente gosta de repetir experiências dolorosas – pessoas que toda hora se colocam em situações nas quais, elas sabem, vão acabar se dando mal. Uma mulher que só escolhe namorados cafajestes – vai trocando de namorado, mas sempre acaba traída e sofrendo. Ou um homem que se envolve nos piores empreendimentos do mundo, negócios que não podem dar certo... Parecia a Freud que as pessoas gostam de dar murro em ponta de faca – procuram irracionalmente repetir uma vivência negativa.

O pai da psicanálise identificou nesse comportamento uma compulsão à repetição, que sobrepuja o princípio do prazer. Freud logo relacionou essa vontade irresistível com uma tendência autodestrutiva do ser humano. E foi aí que passou a teorizar aquilo a que chamou de pulsão de morte.

Ele concluiu que as pulsões orgânicas são voltadas para o restabelecimento de algo anterior – para uma repetição. "Seria contrário à natureza conservadora das pulsões que o objetivo de vida fosse um estado nunca antes alcançado", escreveu em *Além do princípio do prazer*. "Terá de ser, isto sim, um velho estado inicial, que o vivente abandonou certa vez e ao qual ele se esforça por voltar."

A partir desse raciocínio, Freud constatou que o ponto mais radical do retorno a experiências anteriores é aquele lá atrás, no qual ainda nem estávamos vivos, já que "o inanimado existia antes do vivente". A primeira pressão das nossas pulsões como seres vivos teria sido uma volta a esse estado de inércia. Uma marcha a ré da vida para a ausência de vida: uma pulsão de morte.

De certa forma, esse impulso é uma revolta do nosso organismo a toda a tensão do dia a dia. É ambicionar um estado do corpo e da mente sem ansiedades, sem pressões, sem nada. Um paraíso sem segundas-feiras, sem ter de pagar o seguro do carro, sem reclamações do cônjuge... quem nunca pensou nisso?

A pulsão de morte está por trás da prática de esportes radicais, de gente que dirige a 180 por hora nas rodovias, de pessoas que gostam de desafiar a polícia, sabendo dos riscos que essa interação com indivíduos armados com licença para matar implica. Só não nos matamos porque o id que leva à satisfação desses impulsos vive em conflito com as censuras do superego. Quando o id de alguém com pulsão de morte está dominando a mente, é a hora em que a pessoa brinca de roleta-russa.

Mas não é só contra nós mesmos que a pulsão de morte age. Assim como contempla um impulso de autodestruição, ela pode deslocar sua energia para o exterior, transformando-a em agressividade e destruição. É quando nosso ego empurra a pulsão de morte para fora de si graças à influência do que a nossa mente tem de narcisista, desviando esse impulso para outra coisa ou alguém – afinal, quando é você mesmo quem está no alto do pódio dos seus afetos, é preferível que outro seja exterminado no seu lugar.

No campo das perversões sexuais, de que Freud tanto se ocupa, um masoquista atenderia a uma pulsão de morte autodestrutiva, enquanto um sádico estaria satisfazendo uma pulsão de morte destrutiva. E funciona assim também nas relações amorosas – não só nas sexuais. No ambiente de trabalho, uma pulsão autodestrutiva leva a interromper o chefe a todo momento numa reunião – comportamento suicida do ponto de vista dos holerites –, enquanto uma pulsão destrutiva leva à sabotagem do projeto de um colega.

Já a guerra é um coquetel fatal, porque une os dois lados da pulsão de morte: você ataca sabendo que vai ser atacado, misturando impulsos autodestrutivos com agressivos. Daí Freud entender que a guerra, a iniciativa mais estúpida do ser humano, é quase inevitável – por ser uma válvula de escape perfeita de pulsões permanentes, que um dia poderão levar a existência na Terra àquele estado anterior à vida. O nada absoluto. Tente provocar um país com arsenal nuclear para ver no que dá.

Assim como no id, ego e superego, as pulsões de vida e de morte estariam em constante conflito na nossa mente. Peguemos o sadismo, por exemplo – e pense em sadismo para além da fantasia de sexo não convencional, com chicotinhos e beliscões nos mamilos; ou seja, quando você tem algum prazer, mesmo inconsciente, em fazer alguém sofrer. O ato sádico seria uma pulsão de morte, autodestrutiva, que a sua pulsão de vida, voltada à autoconservação, desviou para um objeto externo – possivelmente o coitado do seu irmão caçula. Já num salto de paraquedas, há o gostinho de flertar com a morte, refreado por um impulso de vida que o leva a abrir a bolsa com o equipamento até antes da hora indicada pelo instrutor.

MÁQUINA DE MOER GENTE

Com a publicação de *O mal-estar na civilização*, seu livro campeão de vendas e talvez o mais acessível para o público leigo, Sigmund Freud estendeu seu interesse pela mente dos indivíduos para os aspectos neuróticos de toda a sociedade. Essas novas ideias, reunidas num trabalho bastante pessimista, foram influenciadas pela experiência avassaladora da Primeira Guerra e num tempo em que o planeta enxergava o fundo do poço com a quebra da Bolsa de Nova York e a ascensão do Partido

Nazista na Alemanha. O que não faltava era inspiração para que Freud apontasse seu charuto para as origens da infelicidade.

Antes, só mais uma observação sobre as diversas traduções de Freud: o título original desse livro é *Das Unbehagen in der Kultur* (literalmente, O mal-estar na cultura), e suas primeiras versões para o inglês e o francês ganharam os títulos de *Civilization and its Discontents* (Civilização e seus desgostos, numa tradução livre) e *Malaise dan la Civilisation* (Mal-estar na civilização"). No Brasil, você encontra tanto "na cultura" quanto "na civilização". Como esta última tem sido a mais usada, e Freud não diferencia muito cultura e civilização, é com ela que vamos seguir.

Continuando, então. Nesse livro, Freud diz que é mais fácil achar um venusiano montado num unicórnio que um ser humano feliz de verdade num centro urbano. Bom, ele não usa essas palavras exatas, mas é isso o que ele quer dizer. Em função de todas as circunstâncias da nossa vida, os objetivos do princípio do prazer e de evitar a dor não são atingidos, a não ser temporariamente. "Aquilo que chamamos 'felicidade', no sentido mais estrito, vem da satisfação repentina de necessidades altamente represadas, e por sua natureza é possível apenas como fenômeno episódico."

Já no outro lado da moeda, a infelicidade tem três caminhos muito eficazes para se instalar nos nossos corações e mentes: os sofrimentos do corpo (a doença, o envelhecimento), a hostilidade do mundo externo (no passado, grandes predadores; no presente, o *Jornal Nacional* só falando em desgraça) e as relações humanas em todo o seu potencial de frustração (como as redes sociais deixam bem claro).

Segundo Freud, isso é tão óbvio para o indivíduo que a maioria desiste da felicidade utópica e concentra seus esforços na redução de danos, quer dizer, dos sofrimentos. E isso acontece pelas seguintes vias: a neurose, a intoxicação – vamos beber para esquecer – e a psicose. Ou pela religião também, que reúne um pouco de cada uma dessas saídas, rebaixando o status da vida na Terra, fazendo com que a pessoa troque o raciocínio pela fé e também propondo um mundo de fantasia, onde tudo é dogma, em substituição às incertezas do mundo real. "A este preço, pela veemente fixação de um infantilismo psíquico e inserção num delírio de massa, a religião consegue poupar a muitos homens a neurose individual. Mas pouco mais que isso", afirma.

Daqueles três caminhos para a infelicidade, Freud coloca seu foco na insatisfação que vem das relações humanas – mais especificamente, no âmbito da formação da civilização. Ao combinar suas teorias do inconsciente com teses sociais, o pai da psicanálise lança aqui mais uma de suas ideias mais significativas e duradouras: a de que, por maiores que sejam os avanços tecnológicos e científicos, voltados para a melhoria da qualidade de vida da população, há uma divergência inconciliável entre a civilização que trouxe todo esse progresso e as nossas pulsões mais primitivas.

Embora essa evolução nos tenha dado remédios contra os males do corpo, uma certa segurança contra as hostilidades do mundo externo e também uma regulamentação dos vínculos entre as pessoas, o processo civilizador exige em troca um sacrifício daquilo que temos de mais humano. A saber: sexo e violência.

Por isso, é impossível ser feliz vivendo numa sociedade moderna. Nesse aspecto, as comunidades da Pré-História davam um banho na gente.

O HOMEM É O LOBO DO HOMEM

Até o ponto que é possível conhecer, não havia muita restrição cultural para o sexo entre os nossos ancestrais mais distantes. Uma pintura rupestre de cerca de 3000 a.C., encontrada na Itália, descreve um homem transando com um asno. Já na Sibéria foram achadas pinturas de homens copulando com alces. Como o surrealismo foi um movimento artístico que só surgiu milênios depois dessas imagens, tudo indica que elas representem situações que de fato aconteciam – os nossos antepassados recorrendo até à zoofilia para atender a suas pulsões.

Quanto à agressividade... bom, sem os freios da civilização, as aglomerações mais primitivas tinham um espaço e tanto para botar para fora sua pulsão de morte. Mesmo muito antes que espadas e escudos tivessem sido inventados, o indivíduo já tinha as principais ferramentas para destruir, ferir e suportar os piores golpes: seu próprio corpo.

Como conta o jornalista Felipe van Deursen no livro *3 mil anos de guerra*, estudos apontaram que nossa mão foi moldada pelos milhões de anos de evolução não apenas para lidar com alimentos, mas também para as vias de fato, a violência: "A mão cresceu a fim de formar o punho – uma arma embutida nos nossos corpos". Até como consequência disso, nosso rosto é do jeito que é para aguentar socos. "Cientistas analisaram crânios de homens modernos e de australopitecos e concluíram que as partes que sofrem mais fraturas (mandíbula e as regiões próximas a olhos, nariz e bochechas) são as que desenvolveram mais resistência", conta Van Deursen. "Ou seja, quanto mais se apanhava, mais os ossos fortes eram selecionados para ser passados adiante a cada geração, de modo a suportar mais pancadas."

Essas evidências confirmam o argumento freudiano de que os homens primitivos, embora convivessem com o medo constante – de animais ferozes, de um raio, de não encontrar comida no dia seguinte e, principalmente, de outros homens –, não viviam colocando obstáculos para a satisfação do princípio do prazer – nada a ver com o padrão de comportamento hoje em dia. "O homem civilizado trocou um tanto de felicidade por um tanto de segurança", escreveu Freud. Pelo menos se você não for psicótico ou fora da lei.

Para que sejamos cidadãos civilizados, pagadores de impostos, devemos negar as exigências mais fortes das nossas pulsões, que clamam por sexo sem-vergonha e agressão ao próximo – impulsos de vida e de morte que nos transformam nessa máquina bípede que você vê no espelho. O passo cultural decisivo seria a substituição do poder do indivíduo, "condenado como força bruta", pelo da comunidade. E isso acontece estabelecendo limites às possibilidades de gratificação do homem – pela consolidação do Direito. Curiosamente, essa mesma comunidade cheia de proibições pode agir eventualmente como se fosse um indivíduo ultraviolento, atacando outros grupos em troca de territórios ou influência política. Mas nós, seres pequenininhos na nossa individualidade, não podemos.

Então, como não queremos que nossos filhos tenham de nos visitar na cadeia, nossas pulsões condenáveis buscam saída em atividades sublimadas – como ser viciado no game *Grand Theft Auto* em vez de sair atropelando pessoas, ou canalizar a sua energia sexual para um curso de cupcakes. "A sublimação torna possível que atividades psíquicas mais elevadas, científicas, artísticas, ideológicas, tenham papel tão significativo na vida civilizada", afirma Freud. "É o destino imposto à pulsão pela civilização." O problema é que essas realizações substitutas jamais conseguem o nível de satisfação do cumprimento do impulso original.

E o ser humano, lá no fundo, sabe disso, apesar de passar a vida tentando se enganar. Assim, no caso extremo em que a pulsão de morte fala mais alto, e as censuras do superego não dão conta do cavalo selvagem do id, indivíduos se rebelam contra sua própria cultura com uma agressividade que excede bastante o nível da agressão originalmente suprimida, ameaçando a sociedade de desintegração.

E o que vem em seguida pode ser um tiroteio dentro de uma escola ou um avião se chocando contra prédios cheios de civis.

MAS ENTÃO VAMOS ACABAR NOS MATANDO?

Sigmund Freud também especula sobre como a civilização poderia controlar esses nossos demônios homicidas – para que tudo não acabe em cinzas. Ele rejeita a ideia de que o comunismo da época seria uma solução apaziguadora por reduzir o poder individual e promover um desfrute comunitário de todos os bens. "Nada mudamos no que toca às diferenças de poder ou de influência que a agressividade usa para os seus propósitos, e tampouco na sua natureza. Ela [a pulsão agressiva] não foi criada pela propriedade [privada]."

Um dos caminhos que ele aponta está no próprio conflito psíquico. A tensão entre ego e superego instala um "sentimento consciente de culpa", manipulado pela civilização para que nem pensemos em atos condenáveis – já que nos culpamos até por pensar em coisa ruim. E a religião, segundo Freud, soube se aproveitar muito bem disso inventando um sinônimo para o sentimento de culpa: o pecado. É uma emoção que tem origem também no medo da autoridade, algo que surgiu lá na primeira infância, deslocada a partir da figura paterna, e que acaba lotando as igrejas de fiéis "tementes a Deus Pai Todo-Poderoso".

Não que isso nos torne mais felizes, claro. O superego nos impõe exigências dificílimas de cumprir, causando grande infelicidade – ou um mal-estar enorme. A tal ponto que Freud afirma que, muitas vezes, na prática da psicoterapia, o esforço do terapeuta está em baixar as exigências do superego do indivíduo. Por isso, nem a utopia do comunismo nem a da religião satisfazem Freud como um caminho seguro para o equilíbrio entre pulsões humanas e civilização. E a psicanálise? Será que resolveria?

Talvez fosse o caminho mais óbvio para Freud. Afinal, foi ele quem identificou que, assim como acontece com os indivíduos, também temos comunidades neuróticas – por influência de seus esforços de civilização. Basta verificar, em tempos atuais, como a sociedade ainda lida tão mal com a sexualidade – com repressão, aversão e imaturidade, para ficar em três pontos óbvios.

Mas o austríaco adota prudência, talvez precavido contra a reação vingativa que líderes mundiais poderiam ter contra os diagnósticos de seus governos insanos. "De que adiantaria a mais pertinente análise da neurose social se ninguém possui a autoridade para impor ao grupo a terapia?"

PARTE 4
FREUD NO MICROSCÓPIO

Como examinar a subjetividade em laboratório? A falta de uma boa resposta fez com que, desde seus primeiros textos, Freud fosse acusado de fazer pseudociência. Hoje, mesmo críticos que duvidam de suas teorias reconhecem um prodígio de talento literário na obra freudiana. Seria Sigmund, então, só um bom escritor debruçado em temas best-sellers, como sexo e violência? Um grupo de cientistas renomados do século XXI acha que não. E criou uma disciplina híbrida, combinando neurociência e psicanálise, para desvendar o que o cérebro tem de mais humano.

CAPÍTULO 10
CIÊNCIA OU LITERATURA?

Assim como nas grandes sagas literárias – da Odisseia a Game of Thrones –, Freud criou uma mitologia própria, e assim entrou para o cânone dos maiores autores do século XX. Mas sua base – em vez de semideuses e dragões – foi a neurologia.

"A psicanálise é uma metafísica psicológica interessante (e sem dúvida há alguma verdade nela, assim como muitas vezes há em ideias metafísicas), mas nunca foi uma ciência."

A declaração é do filósofo vienense Karl Popper (1902-1994), que dedicou seus anos aqui na Terra a teorizar sobre os significados da ciência. Analisando os métodos de dois gigantes do pensamento, Einstein e Freud, Popper apontou que os deste último só serviam para confirmar as próprias crenças, nunca para tentar refutá-las. Por isso, chamou a psicanálise de pseudociência. O argumento do filósofo é que, quando você só presta atenção em evidências que confirmam o que você já estava pensando, dá para provar qualquer coisa.

Que tal a visita de espaçonaves extraterrestres ao nosso planeta? Evidência tem. Há os testemunhos dos ufólogos, livros e filmes a respeito. E um caso nacional muito estranho. Numa mesma noite de maio de 1986, caças da Força Aérea Brasileira perseguiram aeronaves sem identificação nos céus de São José dos Campos (SP) e de Anápolis (GO), sem sucesso. Não conseguiam se aproximar o suficiente dos objetos porque eles tinham padrões de voo que não são encontrados em nenhuma aeronave desenvolvida pelo homem – tanto pela velocidade, as curvas inimagináveis e as variações de altitude. Os pilotos brasileiros concluíram que não era coisa deste mundo. Tanto que o relatório militar sobre o ocorrido, um tipo de documento sempre pautado pela discrição e cautela, foi mais pró-ETs do que se poderia prever: "Este Comando é do parecer que os fenômenos são sólidos e refletem de certa forma *inteligências*". OVNIs? Se você se basear só pelas evidências a favor, não tenha dúvida. Prepare-se para dar as boas-vindas e torça para que eles sejam de paz. O que não houve, até pela dificuldade envolvida, foi um estudo que tentasse refutar essa impressão. Assim como o Deus judaico-cristão, você até pode não acreditar nos alienígenas, mas é impossível provar que eles não existem.

E que tal o Papai Noel? Aí sim, evidência é que não falta. Além dos filmes piegas sobre o bom velhinho fazendo milagres no aniversário de Jesus, há o fato de os pais assegurarem a seus pimpolhos que ele existe mesmo – e pais, a princípio, não deveriam mentir para os seus filhos.

Segundo Popper, era mais ou menos assim que Sigmund Freud construía suas teorias – chamando a atenção para tudo que jogasse a favor.

Já Albert Einstein se preocupava em fazer o contrário: buscar evidências que refutassem suas teses. O exemplo mais notório é o da teoria da relatividade geral. De acordo com ela, os raios luminosos que passam próximos do Sol deveriam ter um desvio em razão do campo gravitacional do astro-rei. Mas Einstein não se satisfez com o que seus cálculos lhe diziam. Para verificar se a ideia podia estar errada, ficou esperando por um eclipse total do Sol. O motivo foi que, nessas ocasiões, o céu fica escuro e é possível ver as estrelas de dia. Se a teoria estivesse certa, as posições das estrelas pareceriam, para um observador na Terra, deslocadas por um trecho cada vez maior, quanto mais elas estivessem próximas do Sol. Se o observador não percebesse isso, que pena, a relatividade estaria furada. Então um grupo veio ao Brasil em 1919, mais especificamente ao município de Sobral, no Ceará, onde o céu está sempre limpo, para observar um eclipse e ver se Einstein não tinha errado nas contas. Mas não: ele estava certo. Foi a partir dessa prova de fogo que a teoria da relatividade ganhou status na comunidade científica – sendo celebrada como uma das maiores conquistas intelectuais de todos os tempos, senão a maior.

Karl Popper aprovava esse tipo de zelo. Para o filósofo, é só procurando os pontos falhos de uma teoria que se torna possível chegar às descobertas realmente científicas – aquelas que ninguém da sua época consegue contradizer.

Freud, porém, nem gostava que questionassem suas teorias. Até dentro do seu grupo de seguidores, buscava discípulos fiéis e cortava relações com quem ousasse ir contra algum postulado seu – Jung foi só o exemplo mais notório. E ainda cometia o pecado científico de olhar para o mundo sempre pelos óculos da psicanálise. Se via uma mulher que se destacasse na sociedade e ainda por cima tivesse o hábito de fumar – quase que uma exclusividade masculina então –, considerava "evidência" de que a inveja do pênis estava certa. E Freud era tão bom de elaborar associações livres que seria capaz de convencer a mulher de que a razão de ela ser uma celebridade de seu tempo era tão somente um desejo inconsciente de conquistar o mesmo poder que os homens – ainda que a pessoa tivesse motivações bem diferentes de um pênis simbólico.

Mas pouca gente sabe que, antes de assumir a criação de uma teoria do inconsciente como missão de vida, Freud foi neurologista sério, autor de algumas revelações admiráveis – e do ponto de vista estritamente científico. Como vamos ver agora.

CIÊNCIA NO DURO

Ele até pode ter pisado no tomate em muitos dos seus métodos de pesquisa, mas é equivocada a noção de que Freud fosse um diletante da ciência. Como apontou o médico americano David Galbis-Reig no artigo "Sigmund Freud, M.D.: Forgotten Contributions to Neurology, Neuropathology, and Anesthesia" [Sigmund Freud: as contribuições esquecidas para a neurologia, a neuropatologia e a anestesia], de 2004, o austríaco tinha dado contribuições importantes nesses campos antes de criar a psicanálise. Por exemplo, ele introduziu o uso de cloreto de ouro para tingir tecido nervoso de modo a estudar interconexões neurais de partes do cérebro. Isso já era bastante inovador para a época.

E não parou por aí: em seu *Projeto para uma psicologia científica* (1895), só publicado após sua morte, no qual pretendia construir uma psicologia que fosse uma ciência natural, Freud fez uma conjectura surpreendente e raramente reconhecida: disse que as partículas constitutivas da matéria psíquica são os neurônios, isso numa época em que o debate sobre esse tema ainda não tinha conclusões definitivas – quando teve, onze anos após essa afirmação, rendeu um Prêmio Nobel de Fisiologia aos cientistas Santiago Ramón y Cajal e Camilo Golgi. "Freud esboçou a primeira rede neuronal concebida na história da ciência", aponta Mariano Sigman, em seu livro *A vida secreta da mente*. "Essa rede capturou a essência dos modelos mais sofisticados que hoje emulam em grande detalhe a arquitetura cerebral da consciência."

O fato é que Freud começou sua carreira como neurologista e se aprofundou nessa área até perceber que, com a neurociência que havia no final do século XIX, não existia conhecimento disponível para o que ele queria de verdade: pesquisar e tratar a neurose. E ele estava certo. Na apresentação deste livro, demos o exemplo de um pioneiro da psiquiatria americana que, apesar de bem-intencionado, recorria a métodos de tortura com seus pacientes – porque não havia informação científica que lhe apontasse uma alternativa menos agressiva. Não havia comprimidos da felicidade nem havia a psicanálise para dizer que todo tratamento deve começar com o médico escutando o paciente.

Pena que, quando Freud passou a se dedicar 100% à investigação do inconsciente, o conjunto de seus objetos de estudo não fosse exatamente um primor de representatividade.

ESCASSEZ DE MATÉRIA-PRIMA

Para quase tudo o que escreveu ao longo de mais de cinquenta anos de labuta, Sigmund Freud tomou como base estes objetos de observação: ele mesmo – lembrando que durante algum tempo praticou a contraindicada autoanálise –, seus próprios pacientes, sua família e amigos – indo na direção contrária da regra psicanalítica de não fazer isso com gente próxima. Difícil pensar que esse grupo de referência seria uma amostra satisfatória do funcionamento da mente e do comportamento humanos. Até porque essas pessoas tinham muito em comum, formando material de pesquisa homogêneo além da conta.

Para começo de conversa, todas as pessoas que se deitavam no divã famoso tinham boas condições financeiras – o tratamento não era barato – e relatavam problemas típicos dos burgueses vienenses da época. As mulheres histéricas tratadas por Freud, como vimos, tinham transtornos por causa dos obstáculos à expressão de suas personalidades – coisa que existia num espaço-tempo que achava de bom-tom as esposas de homens ricos ficarem em casa num ócio nada criativo. Seria factível estender uma ciência feita para compreender os problemas dessas mulheres ao resto da população feminina do mundo? E de qualquer outra época? Uma camponesa do sertão nordestino, obrigada a trabalhar na roça, daria risada dos dramas das senhoras que procuravam Freud.

Essa observação das pessoas próximas, somada ao estudo de seus predecessores e contemporâneos, foi o que resultou na base empírica das teorias freudianas. E o fato de os principais conceitos dessas teorias não terem como ser provados – o que é até normal no caso de temas subjetivos – deixa a psicanálise ainda mais distante do que se convenciona chamar de ciência. Nenhum exame de ressonância magnética vai encontrar o complexo de Édipo colocando caraminholas na nossa cabeça.

Em vez de se basear no exame objetivo de fenômenos que poderiam ser repetidos e falseados, a metodologia de Freud se baseava na especulação intelectual e em insights subjetivos – como acontece na boa filosofia, mas nem sempre na boa ciência.

Também é preciso dizer que o austríaco dava uma vitaminada nas próprias descobertas... Em 1991, Frank Sulloway, um historiador da ciência, analisou seis dos principais estudos de caso de Freud sobre a psicanálise e achou-os com "distorções e reconstruções altamente duvidosas", além de uma série de exageros. Até o caso inaugural, da histérica Anna O., tratada por seu amigo Josef Breuer, pareceu ter tido mais literatura do que ciência. Estudos posteriores mostraram que

Bertha Pappenheim – o nome verdadeiro da paciente – não foi exatamente curada pela psicoterapia descrita nos *Estudos sobre a histeria.* Ela permaneceu hospitalizada por um tempo após os acontecimentos narrados e, pior ainda... talvez ela nem fosse "histérica", como se acreditava na época. Pesquisadores apontam que os sintomas de Anna O. talvez decorressem de uma questão realmente física, que não teve o diagnóstico correto e nem o tratamento adequado.

O fato é que, embora suas teorias tenham sido polêmicas, discutíveis e até desacreditadas, Sigmund Freud soube apresentá-las de um modo irresistível. Não porque fosse uma fraude, um gênio do estelionato intelectual... mas porque era um gênio mesmo, ponto. Sua capacidade de abstração e elaboração teórica era incomparável. E ele ainda escrevia muito bem.

FREUD ESCRITOR

O psicólogo alemão Hans Eysenck (1916-1997), um estudioso da personalidade, disse uma vez que Freud foi, sim, um gênio, só que "não da concepção de suas experiências, mas da arte literária". Algo que Harold Bloom (1930-2019), um dos mais importantes críticos literários americanos, assinou embaixo. Tanto que incluiu o pai da psicanálise entre os 26 maiores autores da literatura de todos os tempos em sua obra *O cânone ocidental*. Em 1986, um século após Freud ter começado a receber pacientes em Viena, Bloom assim o descreveu num artigo para o *New York Times*: "Freud é o mais persuasivo dos escritores discursivos modernos, e é difícil de resistir quando é lido com profundidade. Ele é um retórico poderoso, um irônico sutil e provavelmente o mais fascinante de todos os escritores tendenciosos da tradição intelectual ocidental. Sua teoria da mente não apenas tem a força especulativa de um grande metafísico, como Platão, mas também tem a urgência moral do maior dos ensaístas, Montaigne, além de uma surpreendente eloquência shakespeariana. Quanto mais eu leio Freud, mais eu aprendo a ver a representação shakespeariana da motivação e da personalidade humana emergindo, mas de uma forma codificada e racionalizada. Talvez precisemos de uma interpretação shakespeariana de Freud mais do que precisamos de interpretações freudianas de Shakespeare".

Se essas autoridades exaltaram dessa forma o Freud escritor, não é este livro que vai discordar. Nosso Sigmund tinha um poder extraordinário de defender as suas ideias, combinando conhecimento médico, reflexões originais sobre a condição humana e uma imaginação oceânica nos seus textos. Tão incrível que o filósofo Ludwig Wittgenstein (1889-1951) classificou a psicanálise como "uma poderosa mitologia".

E isso não pode ser visto como ofensa. Afinal, o próprio Freud, em seu livro *O mal-estar na civilização*, acenou com essa visão: "A teoria das pulsões é, por assim dizer, nossa mitologia. As pulsões são seres míticos, formidáveis em sua indeterminação". Além disso, assim como na *Odisseia* de Homero ou, para citar uma mitologia contemporânea, em *Game of Thrones*, Freud imaginou todo um universo idiossincrático, fascinante e perigoso ao mesmo tempo, atualizando a angústia de se estar dentro do antro inescapável do Minotauro. Sair, finalmente, é encontrar uma multiplicidade de respostas para uma questão que Cazuza – outro talento das palavras – levantou numa canção do Barão Vermelho: "Por que que a gente é assim?".

TEMAS IRRESISTÍVEIS

Mas o poder dessa mitologia, que é também uma filosofia, repousa sobre outros alicerces para além da habilidade do teórico como escriba. O primeiro é o magnetismo de qualquer ideia que ofereça a um indivíduo uma explicação a respeito dos seus segredos mais secretos. Imagine descobrir, pelo método psicanalítico, fatos da sua infância que estavam bloqueados na sua mente, ou desejos proibidos que o fazem ser a pessoa que você é hoje. Poucas coisas podem ser tão libertadoras e atraentes, e Freud deu respostas intelectuais, portanto respeitáveis e críveis, à curiosidade e à insegurança que levam tanta gente ao tarô e ao mapa astral.

O segundo fator é que a psicanálise propõe uma explicação para algo que a ciência ainda não conseguiu descrever: a natureza humana. Quem teve a mesma pretensão foi a religião – um outro tipo de mitologia –, apontando que o pecado é o denominador comum entre todos os filhos de Deus, esses seres parte anjos, parte demônios, irremediavelmente falíveis. Com a secularização do mundo, porém, a religião deixou de ser resposta para tudo, abrindo caminho para Darwin, de quem Freud sempre foi devoto. Ao identificar pulsões de vida e de morte como elementos fundamentais da forma como pensamos e agimos, Freud apresentou um contraponto sofisticado para a ideia de bem contra o mal, de amor contra o ódio, transformando-o numa hipótese para a natureza humana – que ele via como essencialmente tarada e destruidora, tão pecadora em seu âmago quanto a visão religiosa sobre os descendentes de Adão e Eva.

E o terceiro fator para a influência de Freud sobre tudo o que veio depois dele é o tema que permeia toda a sua obra, capaz de arrepiar os pelos do braço até de quem finge desinteresse: o sexo. Não é por acaso que os sites pornográficos são os mais acessados da internet, ou que ainda falemos sobre a cena de penetração anal lubrificada à base de manteiga em *O último tango em Paris* (1972), ou que a ambiguidade de Diadorim ainda nos fascine em *Grande sertão: veredas*. Ou que, num país que costuma fazer pouco-caso de exposições de arte como o Brasil, qualquer mostra com temática homossexual seja capaz de despertar tantas paixões – contra e a favor.

O sexo sempre esteve no topo da nossa curiosidade. E Freud prestou um grande serviço tirando o assunto da esfera do cochicho e trazendo-o à luz do dia, discutindo perversões, repressões, homossexualidade e os transtornos psíquicos que a falta de uma vida sexual saudável pode provocar – um feito curioso para um homem que muito cedo abdicou das relações sexuais. Ele errou muito nessa área, errou feio, mas também teve insights brilhantes, levantou questões inovadoras e teve posicionamentos ousados – como quando disse que, nos recônditos da mente, todo mundo é bissexual, e que ser gay ou lésbica é uma condição humana, não tem nada de doença. O fato é que, tanto quando esteve certo quanto nas vezes em que falou absurdos, Freud conquistou popularidade para a sua doutrina na bagagem da atração universal por tudo o que tem a ver com a sexualidade.

O.k., Sigmund Freud pode não ter sido – na maior parte do tempo – o exemplar mais exato de um cientista. Mas, mesmo levando em conta o grande escritor e também o poder de atração de seus temas, dificilmente ele se transformaria num dos grandes pensadores de todos os tempos se suas ideias não tivessem eco na nossa percepção do mundo. Mesmo com tantas desmistificações obtidas pela tecnologia atual, que revela quais partes da anatomia do cérebro são ativadas por determinadas emoções, Freud ainda provoca debates acalorados.

Em primeiro lugar porque muito do que ele disse vai ao encontro do que sentimos ou pensamos sobre as coisas. O complexo de Édipo, com tudo que tem de mitologia derivada de outra mitologia mais antiga – a do príncipe grego que matou o pai e se casou com a mãe –, fala alto a todas as pessoas que acham, sim, que as mães preferem seus filhos homens, e que a menina pequena tem a fantasia infantil de se casar com o pai. A própria teoria das pulsões, muito combatida, ecoa no pensamento das pessoas. Não lhe parece que, ao chegar à beira de um precipício numa montanha, algo dentro da gente nos impele a pular naquele abismo – enquanto outra força nos impede? A atração por armas, a curiosidade mórbida por acidentes na estrada – no íntimo, torcemos para ver alguém sem perna ou morto –, a vontade irracional de entrar numa briga... tudo isso parece bem de acordo com as descrições que Freud fez da pulsão de morte.

Porém, além de toda essa correlação com o senso comum, algumas teses de Freud mantêm seu criador relevante por causa de uma mudança de rota da ciência: a mesma tecnologia moderna que parecia ter enterrado o legado freudiano começa a exumar seus acertos. É o que vamos ver no último capítulo deste livro.

CAPÍTULO 11
CIENTISTAS FREUDIANOS

Já na virada para o século XXI, pesquisadores da estatura de Eric Kandel – Prêmio Nobel de Medicina –, António Damásio e Mark Solms resgataram os conceitos de Freud para acessar as motivações inconscientes do indivíduo – algo em que a ciência ainda patina na hora de estudar transtornos mentais. Bem-vindo à neuropsicanálise.

Se estamos falando hoje de Sigmund Freud, eu escrevi um livro sobre o homem e você teve interesse de lê-lo, é por causa da mais importante de suas construções teóricas, que é tema do primeiro capítulo deste trabalho: o inconsciente. Como dissemos lá atrás, Freud não foi o descobridor de que temos uma parte da mente ativa até quando estamos dormindo. Mas foi ele que propôs uma divisão do aparelho psíquico e a ideia de como o inconsciente funciona, com seus mecanismos fora do nosso controle racional. Essa teoria foi extensamente elaborada no livro *A interpretação dos sonhos*, de 1899, mais de um século atrás, numa época em que a neurociência ainda usava fralda, e equipamentos capazes de identificar as atividades de cada parte do cérebro só poderiam existir na ficção científica – a imagem por ressonância magnética funcional (fMRI, da sigla em inglês) só se tornou disponível no fim dos anos 1990.

Pois foi justamente com o monitoramento das reações cerebrais permitido por essas máquinas incríveis que pesquisadores têm confirmado o conceito central da teoria freudiana. Um exemplo é a constatação de que a tomada de decisões motoras acontece no cérebro momentos antes de que tomemos consciência delas. É obra do inconsciente.

A neurociência também tem concordado com a teoria de Freud de que a presença de conteúdos latentes dolorosos é fonte de aflições. Um estudo[10] feito pelo psiquiatra austríaco Eric Kandel (1929-) – ganhador do Prêmio Nobel de Medicina, em 2000, por seu trabalho com neurotransmissores – apontou exatamente isso. Os cientistas monitoraram o cérebro de voluntários enquanto exibiam para eles uma série de rostos amedrontados. Na primeira sessão, as fotos iam bem devagarinho, de modo a permitir que a pessoa analisasse todos os detalhes da imagem. Na sessão seguinte, elas passavam superdepressa, de um jeito que fosse impossível para os voluntários identificar se ali havia rostos felizes ou apavorados. Ou seja, se a foto permanecia por um tempo razoável na tela, o indivíduo conseguia perceber conscientemente o medo nos rostos exibidos; já no experimento a toda velocidade, isso era impraticável. Mas o resultado do monitoramento revelou algo de que Freud desconfiaria. As imagens rápidas, não percebidas pela consciência, estavam, sim, estimulando uma área do cérebro ligada às sensações de medo. Mais, inclusive, que as imagens lentas. Para os pesquisadores, o estudo é a prova de que Freud estava

---

10 KANDEL, Eric R. et al. "Individual differences in trait anxiety predict the response of the basolateral amygdala to unconsciously processed fearful faces". *Neuron*, v. 44, nº 6, p. 1043-1055, 2004.

certo: temos angústias derivadas de uma interpretação inconsciente de coisas negativas.

Por experiências como essa, Kandel – um especialista em aprendizagem e memória, e uma das vozes mais respeitadas na neurociência – é a favor da interação das teorias freudianas com o que se faz hoje nos laboratórios.

É justamente essa ponte entre psicanálise e neurociência que um grupo de cientistas está introduzindo agora.

Um dos responsáveis pelo reconhecimento de que a atividade mental não se restringe à cognição, o neurologista português António Damásio (1944-) já afirmou que "durante a maior parte do século XX, a emoção não teve espaço nos laboratórios. Dizia-se que era subjetiva demais". A boa notícia é que isso está mudando. Cada vez mais, a neurociência abre espaço para a abordagem de processos psicodinâmicos como medo, ansiedade e raiva. Além disso, focos tradicionais de estudo científico, como percepção e memória, já levam em consideração a forma como o aprendizado emocional atua nessas funções cerebrais. E, quando a ciência passa a tratar de emoções, ela está se debruçando sobre o espaço íntimo do indivíduo – e colocando o pé no território de Freud, já que a experiência subjetiva humana sempre foi o objeto de estudo da psicanálise. Mas será possível que cientistas e psicanalistas venham a falar a mesma língua um dia? Tem gente muito importante dos dois lados que acha que sim.

Até o fim do século passado, a neurociência e a psicanálise não apenas falavam línguas distintas como nem davam a impressão de tratar da mesma coisa. Muitos psicanalistas não gostavam da ideia de testar suas hipóteses pelo experimento; já os cientistas procuravam explicar como as células nervosas se comunicam com impulsos químicos e elétricos, como o cérebro aprende, calcula e se lembra, mas sempre evitaram colocar o dedo na subjetividade do indivíduo. Só se atinham àquilo que seriam capazes de medir.

Mas foi bem nessa última virada de século que um grupo de gente brilhante decidiu que era hora de colocar as duas disciplinas para tomar um café – e que só essa interação seria capaz, um dia, de gerar explicações mais definitivas sobre o funcionamento da mente. Foi assim que nasceu a neuropsicanálise.

Essa disciplina híbrida surgiu marcada pelo lançamento de uma revista, *Neuropsychoanalysis*, que teve sua primeira edição em 1999 e que sempre contou com psicanalistas célebres em seu conselho editorial, assim como cientistas de primeira linha – como António Damásio, Oliver Sacks e o prêmio Nobel Eric Kandel. Um ano depois, seria realizado em Londres o primeiro congresso internacional sobre o tema, ocasião em que foi fundada a Sociedade Internacional de Neuropsicanálise.

A intenção aí não é provar cientificamente que Freud estava certo, mas utilizar conceitos das duas disciplinas para avançar no campo tanto da pesquisa quanto da terapia. Da psicanálise, o novo grupo busca base teórica para chegar às motivações inconscientes da personalidade – uma lacuna comum na compreensão de transtornos psiquiátricos. Já da produção acadêmica, os neuropsicanalistas obtêm dados objetivos de testes e exames de neuroimagem funcional.

Com isso, procuram entender as relações entre o cérebro e as funções psicológicas, normais e patológicas – por exemplo, como lesões cerebrais (como tumores e AVCs) modificam o funcionamento mental de indivíduos que eram saudáveis. Ao mesmo tempo que a neurociência permite identificar quais funções são perdidas nesses quadros e quais foram preservadas, a psicanálise faz um quadro psicológico do indivíduo relacionado a essa perda de funções.

A questão fundamental da neuropsicanálise é esta: como a essência dessa pessoa que você vê no espelho tem relação com a fisionomia, a anatomia e a química do cérebro?

Não por acaso, o grande nome da neuropsicanálise, o sul-africano Mark Solms (1961-), é tanto cientista quanto psicanalista. Na Universidade da Cidade do Cabo, ele busca elementos de suas duas formações para estudar sonhos e danos cerebrais. "O maior erro que tem sido feito na ciência é pensar que nós podemos estudar o cérebro apenas como um objeto, como se ele fosse idêntico a um órgão como o fígado", afirmou Solms em 2013, falando para a Associação Psicanalítica Internacional. "Você começa a aplicar métodos objetivos para seus mecanismos e acha que eles serão revelados da mesma maneira que o funcionamento de um músculo. Mas o cérebro tem uma propriedade muito distinta da do pulmão ou do fígado. Afinal de contas, como é se sentir sendo um fígado? O cérebro tem autopercepção, tem sentimentos, consciência, pensamentos... isso é um atributo exclusivo. E há efeitos causais: as emoções modificam a forma como o cérebro opera. Se você deixar essa subjetividade de fora, nunca vai entender completamente o funcionamento cerebral. Por isso a neuropsicanálise tem uma grande contribuição a dar à família das ciências mentais."

Outros expoentes da neuropsicanálise que vale a pena mencionar são a americana Helen Mayberg (1956-), com seus estudos para tratar depressão, e o estoniano Jaak Panksepp (1943-2017), com sua pesquisa sobre as emoções humanas.

A CIÊNCIA E O MECANISMO DA NEGAÇÃO

Em seu livro *Clinical Studies in Neuro-Psychoanalysis: introduction to a depth neuropsychology* (Estudos clínicos em neuropsicanálise: introdução a uma neuropsicologia de profundidade, sem edição brasileira), Mark Solms dá exemplos de como a união da neurociência com a psicanálise pode ajudar no estudo e no tratamento de pessoas com distúrbios cerebrais.

Um caso que chama atenção é o da síndrome do hemisfério direito (SHD), quando alguma lesão nesse lado do cérebro provoca alterações cognitivas, déficits de memórias visual e espacial e transtornos emocionais. Mark estudou casos de pacientes que, por causa da SHD, tinham paralisia no lado esquerdo do corpo, mas que, curiosamente, não conseguiam reconhecer e admitir a perda do movimento. Em alguns casos, o paciente nem achava que o braço paralisado era dele – respondia que devia ser do médico à sua frente, achando mais verossímil um doutor com três braços do que ele próprio ter uma parte do corpo morta.

Com base em experimentos que conseguiram corrigir temporariamente esse déficit de autoimagem – um estudioso derramou água no ouvido de um paciente, e isso despertou sua percepção para a paralisia –, Solms chegou à constatação de que o conhecimento da deficiência estava registrado na mente do paciente, mas um mecanismo semelhante à repressão psíquica descrita por Freud estaria impedindo que esse reconhecimento chegasse à consciência. Vimos isso neste livro quando tratamos dos mecanismos de defesa do ego, mais especificamente a negação – quando a pessoa fica cega para uma realidade como forma de bloquear o sentimento doloroso que vem com ela.

Um exemplo estudado por Solms: uma senhora de 61 anos, que tivera um AVC e estava presa a uma cadeira de rodas, ficou deprimida e chegou a tentar o suicídio duas vezes. Mas, quando questionada sobre as razões da sua depressão, ela não conseguia associá-la ao fato de não conseguir mais andar – deslocava o motivo para questões menores, como a perda dos óculos ou por não ter conseguido encontrar seus cigarros naquele dia. Mais negação, claro. Uma situação que Freud explica.

Para o pai da psicanálise, a base da depressão está numa relação narcisista com os objetos amorosos – lembrando que objeto, para Freud, pode ser um objeto mesmo, como os óculos, ou pode ser uma pessoa, um cachorro, seu cabelo, qualquer coisa pela qual se tenha afeto. Perder um objeto de estima é ter o próprio ego ferido, pois a pessoa passa a se identificar com ele. Por causa disso, o deprimido não consegue se separar facilmente do objeto de sua estima e começar de novo – como ocorreria num luto considerado normal. Perder o objeto é como perder a si mesmo – um sentimento insuportável.

No caso da senhora paralisada, o corpo saudável e sua mobilidade formavam esse objeto perdido em função de uma percepção idealizada – narcisista – do próprio corpo. A autoimagem do corpo funcionando em sua plenitude permaneceu intacta no ego da paciente, que em razão disso não conseguia perceber sua deficiência.

Segundo Mark Solms, a investigação clínica nos moldes psicanalíticos identificou um padrão nos sintomas dos pacientes que negavam suas paralisias: havia neles um fracasso no processo de luto pela perda das funções corporais. Como não são todos os pacientes de SHD que desenvolvem essa negação, esses indivíduos específicos possuíam um histórico diferente: antes da paralisia, tinham uma relação narcisista com o próprio corpo. Podiam se achar muito bonitos ou gostar especialmente de alguma parte, como os cabelos, a barriga tanquinho, os pés ou bem a parte que ficou imobilizada.

Foram, portanto, as teorias de Freud sobre o narcisismo e os mecanismos de defesa do ego que ajudaram a compreender a dinâmica das emoções em pacientes com síndrome do hemisfério direito. Assim foi possível entender que essas pessoas não tinham, na verdade, um déficit de percepção; só reprimiam essas percepções, porque elas causavam sofrimento.

Em contrapartida, essas ideias não teriam como ser aplicadas sem o conhecimento anatômico do cérebro e das funções do hemisfério direito que ganhamos da neurociência. Sem esta, nem saberíamos que uma lesão no lado direito do cérebro pode provocar paralisias no lado esquerdo do corpo. Foi a ciência que identificou a SHD como o problema daquelas pessoas e ainda apontou as consequências funcionais do distúrbio; foi a psicanálise que explicou o mecanismo das emoções relacionadas à síndrome. Uma parceria muito bem-sucedida, e que pode ajudar mais gente.

UMA NOVA ESPERANÇA

Outro distúrbio agressivo que pode contar com uma mãozinha de Freud, segundo os neuropsicanalistas, é a anorexia. Hoje a neurociência permite examinar a atuação dos circuitos neurais sobre esse medo obsessivo de engordar, mas não explica muito como alguém pode amortecer as sensações de prazer e dor ligadas à alimentação e à falta dela. Na língua da psicanálise, a questão é verificar como anoréxicos conseguem nocautear a pulsão de vida que pede por comida na hora que se tem fome – como ignoram o princípio do prazer que exige essa satisfação.

E a depressão também está na mira. Para a ciência, o problema não passa de um distúrbio que se trata com remédios que reponham os elementos químicos escassos no cérebro do deprimido. A indústria farmacêutica entra em êxtase com esse tipo de abordagem, porque ganha bilhões de dólares produzindo medicamentos que manipulam a serotonina. O problema é que, para mais da metade dos pacientes com depressão, os remédios simplesmente não funcionam. As contribuições da medicina nesse caso são importantes – mais do que isso, fundamentais – e conseguem mudar a vida de um mar de gente. Mas não são resposta definitiva para a depressão, nem a única. Haja vista que muitos médicos, além de recomendarem o antidepressivo, sugerem que seus pacientes façam terapia.

VOCÊ NO DIVÃ

O que os neuropsicanalistas procuram fazer, na essência, é conciliar a pesquisa do cérebro com o estudo das emoções – o que há de mais instigante na nossa mente. Estamos falando da subjetividade que provoca transtornos psíquicos, mas que também está por trás das grandes realizações da humanidade; que leva atletas, estadistas, poetas, filósofos, engenheiros e diretores de cinema a sublimar questões ocultas entregando o que sabem fazer de melhor: mudar o nosso presente e o nosso futuro. Como o foco da investigação psicanalítica é justamente a complexidade do pensamento e suas consequências nas nossas ações, grandiosas ou cotidianas, é natural que ela tenha tanta ligação com a arte e a história.

Mais do que a questão de se a psicanálise é ciência de fato ou não, e também mais que a sedução de teorias que lidam com sexo e violência, o pensamento de Sigmund Freud mantém sua atualidade, tanto tempo depois da morte do austríaco, porque é voltado para aquilo que Édipo encontrou no fim de sua trágica história: a verdade interior. O homem do charuto acreditava que teríamos mais condições de lidar com nossas ansiedades, medos, preconceitos e nossas próprias decisões se compreendêssemos melhor o que está por trás da personalidade que projetamos para o mundo – esse ego maquiado pela necessidade de adequação.

Freud segue, dessa forma, o exemplo do homem que dividiu a história entre antes e depois dele ao proclamar que só o conhecer a si mesmo pode promover transcendência, modificando a relação com esse nosso "eu" fugidio, com as pessoas a quem queremos bem e com o universo ao nosso redor. Estou falando de Sócrates, o ateniense que teve como lema de sua filosofia um escrito que havia no templo do Oráculo de Delfos, para onde os antigos mediterrâneos iam em busca de respostas para suas questões mais profundas: "Conhece-te a ti mesmo".

Essa é a principal mensagem também da psicanálise, a busca de um autoconhecimento que Sigmund Freud quis inspirar com seu estudo da condição humana. E que eu espero que sirva de inspiração também para você, caro leitor.

POSFÁCIO
MAL-ESTAR QUE NÃO PASSA

A depressão foi considerada o mal do século XXI, e vivemos uma pandemia de distúrbios de ansiedade. Motivos não faltam: vão de vírus homicidas a redes sociais que ferem nossa autoestima. Nesse cenário distópico, nunca foi tão essencial lidar com as angústias e entender direito quem somos. Daí a importância de rever as ideias de Sigmund Freud – cujo legado terapêutico se impõe em tempos tão à flor da pele.

A intenção das Forças Armadas americanas era boa: recuperar psicologicamente ex-combatentes, recém-chegados da Segunda Guerra Mundial, e de quebra mostrar, a potenciais empregadores, que esses soldados estavam aptos para o mercado de trabalho. Então, num esforço de propaganda dessa iniciativa, convocaram o diretor de cinema John Huston (1906-1987) para filmar toda a ciência envolvida nos tratamentos – e como heróis de guerra se sairiam bem dessa última batalha, agora contra sabotagens de sua própria mente. Huston, que naqueles meados dos anos 1940 já era um artista famoso – seu filme de estreia, *Relíquia macabra* (1941), havia sido indicado ao Oscar –, se instalou com equipe e tudo num hospital onde estavam internados soldados com uma série de distúrbios psiquiátricos, como depressão profunda e síndrome do pânico. O resultado das filmagens é estarrecedor: militares à beira do suicídio, paranoicos, com paralisias sem motivo físico; gente com tiques nervosos ou chorando descontroladamente. Alguns não queriam dormir porque tinham pesadelos recorrentes de que estavam de novo em combate. Numa das cenas mais impactantes, um paciente, sob efeito de hipnose – numa sessão que remonta aos primórdios da psicanálise –, se lembra do motivo de não conseguir mais falar direito: o som da letra "S" parecia o chiado das granadas nazistas que explodiam ao seu redor. Salta aos olhos o terror de quem via a morte o tempo todo – ou precisou matar – numa carnificina.

As sequelas mentais daqueles soldados nem tinham nome específico na época, só seriam batizadas já nos anos 1970: transtorno do estresse pós-traumático, um distúrbio grave de ansiedade que inclui *flashbacks* das situações traumatizantes, paranoia crônica e incapacidade de funcionar no ambiente social e profissional.

Ao mostrar aqueles homens com a mente em frangalhos, a obra de John Huston desconstrói o mito do guerreiro de sangue-frio que as Forças Armadas gostam de ostentar. Um antimarketing tão óbvio para o Exército dos EUA que o filme foi confiscado. Sua primeira exibição pública só viria a acontecer mais de três décadas depois, em 1981. Um adiamento a se lamentar. Além de um dos registros antiguerra mais pungentes de todos os tempos, *Let There Be Light* (*Que se faça luz*), como o documentário foi chamado, é um lembrete de como a psicoterapia pode ser uma boia salva-vidas após grandes traumas. Em sua parte final, o filme exibe a evolução dos soldados depois de meses de terapia individual e de grupo. O militar que não sentia mais as pernas volta a andar numa sessão de hipnose; o que gaguejava consegue falar normalmente ao recordar, em terapia, o motivo de seu bloqueio. Alguns parecem prontos novamente para a vida civil – e para os empregos.

Como você viu neste livro, não são só traumas reprimidos que desandam nosso equilíbrio psicológico. Desejos proibidos também podem provocar agonias avassaladoras. Mas, quando pensamos no coletivo, os traumas ganham protagonismo em tempos de adversidade extrema: seja ela uma guerra, um colapso econômico, regimes políticos autoritários ou uma ameaça à saúde de proporções globais. Ou tudo isso junto: a gripe espanhola, uma pandemia do vírus *influenza* que tirou a vida de, no mínimo, 50 milhões de pessoas (há quem fale no dobro), aconteceu em 1918, em plena Grande Guerra (a primeira) – dizimando os soldados aglomerados nas trincheiras e contribuindo para arruinar a economia europeia. Matou também a filha preferida de Sigmund Freud, Sophie, então com 26 anos, o que acabaria por mudar a concepção do gênio acerca do luto. Até então, ele achava que esse pesar era diferente da depressão porque, depois de um tempo, enlutados tenderiam a emergir de sua tristeza, enquanto deprimidos ficariam estagnados em pensamentos de autopunição e infelicidade generalizada. Mas Freud nunca se recuperou da perda da filha, e confessou o erro de julgamento na carta a um amigo: "Não importa o que aconteça, não importa o que façamos, a dor sempre estará lá. É a única forma de perpetuar um amor que não queremos abandonar".

Num salto de cem anos, é inevitável constatar, agora, como a investigação do sofrimento psíquico proposta por Freud – e adaptada em diversas outras psicoterapias – tem uma importância perene. Afinal, a não ser que se viva isolado numa caverna, sem TV nem wi-fi, seria uma alienação nos desviarmos do que a história ensina: o mundo contemporâneo é um forno de crises que raramente baixa a temperatura. E, cada vez que a sociedade toma uma pancada dessas, Freud ressurge mais forte. Recessões econômicas e ditaduras costumam ser acompanhadas por um *boom* na procura por terapia. E os distúrbios de ansiedade quadruplicaram ao longo de 2020, o primeiro ano da pandemia do novo coronavírus, de acordo com a Organização Mundial da Saúde.

Segundo o filósofo e psicanalista Jonathan Lear (1948-), estudioso da Universidade de Chicago, esse curto-circuito mental em períodos de grandes riscos externos tem a ver com a forma como guerras, pandemias e outras crises afetam o nosso senso de futuro. Testemunhar catástrofes coletivas nos empareda numa incerteza radical quanto ao porvir de curto e médio prazos. Essa guerra iminente vai extinguir a raça humana? Esse vírus em descontrole vai matar as pessoas que eu amo? Vou ter de morar com minhas filhinhas embaixo de um viaduto – uma morte simbólica do ego – por causa do avanço da miséria?

"Nosso narcisismo nos dá a impressão de que a civilização é uma jornada sem fim. Então [nas crises] há uma quebra do nosso orgulho, porque nos entendíamos como parte dessa civilização", explica Lear. Sim, na nossa mente, nós *somos* essa sociedade em risco de extinção. Por isso ficamos tão ansiosos com turbulências assim – a aflição associa, não sem razão, o caos no planeta à insegurança do nosso próprio umbigo. Porque é justamente na crise que a ficha cai. Ela desmonta os nossos mecanismos de negação da morte (morte do progresso, da cultura e do nosso corpo físico), e a evidência da transitoriedade se reafirma – numa espécie de luto antecipado. "A ideia da destruição da civilização, para um ateu como Freud, significava a morte de Deus", explica Jonathan Lear.

Pronto. Lá se vai a nossa ilusão de vida eterna – um motivo mais que suficiente para anos de divã. O mergulho num processo terapêutico se torna mais e mais importante conforme a Terra vai ficando um lugar mais perigoso. Justamente por a terapia – em seu acolhimento e reorganização do indivíduo – ser o avesso desse mundo do avesso.

JANELA INDISCRETA

Como se não bastassem as crises do mundo, o século XXI ainda nos entregou, com a internet, um cavalo de Troia tecnológico, para invadir sem dó o nosso frágil equilíbrio psíquico. Se por um lado ela nos permitiu acesso ilimitado a fontes de conhecimento e trens-bala de comunicação, também nos deu as redes sociais – ambientes de esplendor e ruína, inveja disfarçada de aplauso e realidades alternativas em que só se alcança o colorido enganoso do filtro. Um cosmos paralelo que, se existisse na época de Freud, traria novas elucubrações sobre o mal-estar na civilização.

Como você sabe, essas plataformas dependem da hiperexposição dos usuários para encher suas páginas de conteúdo, visitantes curiosos e o dinheiro dos anunciantes. O que nem todo mundo sabe é que isso leva muita gente a adoecer, vítima de ataques ao amor-próprio dos dois participantes desse ritual.

De um lado, contra o voyeur, que é o indivíduo que passa um tempo excessivo vidrado nas fotos de seus amigos, numa atitude que confunde prazer (observar sem ser visto nos dá um controle que é também poder) e o sofrimento do invejoso (masoquismo puro). Esse é quem mais sofre abalos no ego, que acontecem toda vez que o algoritmo das redes o nocauteia com a imagem de um colega capaz de correr vinte quilômetros no fim de semana, da amiga de corpo perfeito que cabe num biquíni minúsculo, das festas mais estupendas, dos casamentos harmônicos e, claro, dos pratos de comida mais fotogênicos da história.

O outro golpe é contra a pessoa que tem compulsão por expor o próprio corpo e flashes supostamente felizes de sua vida. Esse exibicionista compartilha fotos ou opiniões como forma de alimentar seu narcisismo, virando refém dos likes de seus contatos – como se essa aprovação virtual fosse a máxima régua da autoestima.

Não é surpresa, então, que uma pesquisa de 2017 da Royal Society for Public Health, do Reino Unido, tenha apontado o Instagram – justamente onde as fotos e vídeos prevalecem sobre os textos – como o app mais nocivo para a saúde mental. O estudo mostrou que esses compartilhamentos têm impactos negativos na autoimagem das pessoas e na qualidade do sono, e alimentam um tipo de distúrbio que surgiu moldado pela internet: o medo crônico de ficar por fora dos últimos acontecimentos (FOMO, *fear of missing out*).

O.k., pode ser que você tenha uma relação saudável com essas redes – como qualquer usuário esporádico de drogas. Mas é sempre difícil manter o celular longe das mãos. E a culpa nem é sua. A coisa toda foi engendrada pelos nerds mais brilhantes do Vale do Silício, recorrendo à psicologia do comportamento justamente para deixar você viciado (falamos sobre o assunto lá no capítulo 1). Sim, a rede social é o novo cigarro.

E o que Sigmund Freud pensaria disso tudo? Há uma boa chance de que ele enxergasse no Instagram um portal de acesso ao nosso inconsciente. Afinal, quanto de neurose, atos falhos e perversões é possível adivinhar numa selfie? E mecanismos de defesa do ego também! O que não falta é gente fazendo – e fotografando – pão caseiro para sublimar desejos que não podem ser satisfeitos – pelo menos não naquele momento.

Mas, graças ao pensador austríaco, temos um antídoto para essa falsa intimidade – artificial, de uma plasticidade incomplexa. Pois a psicoterapia é o grande contraponto da exposição midiática. Quando você entra no consultório de um terapeuta, passa por uma experiência de intimidade real, profunda, em que duas pessoas interagem sob um acordo de confidencialidade. À projeção de uma persona idealizada e fugaz, Freud responde com um novelo de lã para percorrer o labirinto que levará às verdades internalizadas do seu eu imperfeito – esse enigma inacessível à velocidade do nosso tempo. Alguém que, até o último fôlego, se mantém personagem a ser decifrado – especialmente por si mesmo, com o socorro da psicanálise e seus congêneres.

Porque no fundo somos todos Édipos, cegos da própria natureza, blindados de significados chocantes. Mesmo sem pôr a mãe no meio.

APÊNDICE
O CINEMA EXPLICA A PSICANÁLISE

> "Eu gostaria de ser para o cinema o que Shakespeare foi para o teatro, Marx para a política e Freud para a psicologia: alguém depois de quem nada mais é como costumava ser."
> ***Rainer Werner Fassbinder (1945-1982), diretor de cinema alemão***

Se alguém pedisse a consultoria de Sigmund Freud para um ranking de melhores filmes do ponto de vista psicanalítico, dificilmente teria ajuda. Para o austríaco, a arte cinematográfica – que ele não tinha em grande conta – era incapaz de comunicar os processos da psicanálise. Talvez porque o foco da disciplina que ele inventou estivesse na fala, e não no olhar – as imagens que surgem magicamente na tela obedeceriam mais à lógica infantil, comandada por um id que impõe tudo o que deseja, sem a mediação tão necessária ao contexto psicanalítico. Mas talvez a objeção de Freud ao cinema tivesse outra razão: ele nunca foi muito amigo da vanguarda nas artes (como ficou claro no seu desgosto pelo surrealismo, que tanto se inspirara nele). Preferia a pintura clássica, o teatro e a literatura já consagrados pelo tempo, enquanto o cinema era, em sua época, uma novidade que surgiu como atração popular em feiras de variedades. A transição desse ilusionismo projetado em tela para a condição de sétima arte foi percebida com desinteresse por Freud. Para ele, as melhores cenas jamais filmadas sempre estarão dentro da gente: no nosso inconsciente.

Mas, se Freud torceu o nariz para o cinema, o cinema abraçou esse homem de gosto conservador com uma paixão selvagem, que o deixava desconcertado – e que nunca chegou a esfriar. Diretores e roteiristas descobriram, na exploração dos desejos que vivem além da nossa consciência, um estopim recorrente para a criatividade. E não apenas nos "dramas psicológicos" mais complexos – romances e comédias ligeiras, produções de terror e suspense vêm usando e abusando dos conceitos psicanalíticos em suas tramas. E tem sido assim porque os filmes e as ideias de Freud inegavelmente foram feitos um para o outro, evoluindo para um casamento dos mais prolíficos – cujos noivos são da mesma idade.

Em 1895, enquanto Freud lançava com Josef Breuer *Estudos sobre a histeria*, a "certidão de nascimento da psicanálise", parisienses pagavam para ver, num hotel, a primeira sessão de cinema de todos os tempos – uma sequência de dez registros documentais mudos, bem curtos, realizada pelos irmãos Lumière. E as coincidências não ficam nessa data histórica. Segundo os coordenadores da coleção Cinema e Psicanálise, Christian Dunker e Ana Lucilia Rodrigues, o processo de edição de cenas que existe nos filmes encontra um paralelo perfeito no divã freudiano, durante a construção das narrativas fragmentadas da associação livre.

Além disso, filmes são construídos a partir de símbolos, cujos significados – assim como os dos sonhos, atos falhos e sintomas – rendem análise e interpretação. Pelo menos se o filme for bom. Veja o exemplo do icônico sabre de luz de *Star Wars*. "Um psicanalista freudiano poderia contemplar o longo feixe de luz azul e interpretá-lo como um símbolo fálico", aponta Skip Dine Young, autor de *A psicologia vai ao cinema*. "Já um crítico feminista poderia argumentar que o sabre de luz, na verdade, simboliza a hostilidade masculina deslocada."

Concorda? Discorda? O fato é que a psicanálise enriqueceu a discussão que todo filme, por essência, é capaz de estimular. E ajudou a levar às telas produções inteligentes, provocantes, cheias de motivações ocultas e questões para pôr a sua cabeça trabalhando. Em contrapartida, o cinema deu à luz um conjunto de filmes que oferecem uma visão ampliada dos conceitos psicanalíticos – seja no retrato atormentado que John Huston fez do próprio Freud, em 1962, seja em longas-metragens que incorporam as teorias freudianas propositalmente em seus enredos. E é um pouco dessa retribuição do cinema à psicanálise que você vai ver agora.

Confira a seguir breves considerações sobre sete filmes obrigatórios para qualquer um que se interesse por psicanálise. (Como você chegou a este ponto do livro, vamos combinar que é o seu caso.) Dois aqui são de Alfred Hitchcock, mas poderiam ser mais. O britânico adorava brincar com os conceitos de Freud em seu cinema – e alguns dos melhores suspenses das telas ganharam muito com isso.

SEGREDOS DE UMA ALMA

Geheimnisse einer Seele (1926)

Direção: Georg Wilhelm Pabst

Preste atenção aos créditos deste filme mudo. Entre os roteiristas está o nome de Karl Abraham, psicanalista alemão que fazia parte do grupo que orbitava em torno de Freud – chegando a ser considerado pelo mestre seu melhor aluno. Aliás, o próprio Sigmund foi convidado para colaborar como consultor técnico da produção, mas declinou, como sempre fazia em propostas relacionadas ao cinema.

Tanto assédio em cima do círculo freudiano tinha motivo: aproveitar a fama mundial da psicanálise naqueles anos 1920 para ser o primeiro filme a mostrar, na tela, como funciona um tratamento psicanalítico. Para matar a curiosidade das pessoas sobre os métodos daquele fascinante dr. Freud, o filme segue uma linha bem didática na parte que mostra as sessões de análise, e o faz sem perder o ritmo de um bom suspense (corre que o YouTube tem o filme na íntegra!).

Mas vamos à trama: um cientista desenvolve uma fobia de qualquer tipo de lâmina, associando essas peças – potenciais armas – a um impulso irracional de matar a própria esposa. Então, antes que o pior aconteça, e para descobrir a razão de seu transtorno mental, o homem procura um psicanalista – marcando a estreia dessa categoria profissional na tela grande. "Você só será curado quando trabalharmos juntos para descobrir os conflitos psicológicos inconscientes que levaram à sua doença", explica o terapeuta. E o que vem a seguir é o desenrolar de um tratamento bem fiel aos padrões da psicanálise clássica – por isso a mãozinha de Abraham no roteiro –, incluindo muito do que você viu neste livro: associação livre, interpretação de sonhos, repressão, trauma infantil... Todo o rico repertório da criação de Freud apresentado por um dos grandes diretores da história do cinema alemão, G.W. Pabst, que também assina um dos maiores clássicos do período mudo: *A caixa de Pandora* (1929).

QUANDO FALA O CORAÇÃO

Spellbound (1945)

Direção: Alfred Hitchcock

Hitchcock flertou com as ideias de Freud em diversos momentos, mas este é o "filme de psicanálise" oficial do diretor. Tanto que a abertura do longa-metragem já avisa: "Nossa história lida com a psicanálise, um método pelo qual a ciência moderna trata os problemas emocionais das pessoas sadias. O analista procura induzir o paciente a falar sobre suas questões ocultas, a abrir as portas trancadas da sua mente. Uma vez que os complexos que perturbam o paciente são descobertos e interpretados, a doença e a confusão desaparecem... e os demônios da irracionalidade são retirados da mente humana".

A história trata do romance entre dois psicanalistas, Constance Petersen (Ingrid Bergman) e Anthony Edwardes (Gregory Peck), e o conflito se dá quando o personagem de Peck é tomado por um sentimento de culpa após uma crise de amnésia – ele começa a acreditar que pode ter matado o verdadeiro dr. Edwardes e assumido sua identidade. Mas será mesmo? É nesse momento que o suposto assassino desmemoriado vira paciente da sua colega, e Constance se apressa com as armas da psicanálise para chegar à memória reprimida dele – numa corrida contra os policiais, que também querem saber a verdade.

Para chegar aos conteúdos ocultos dessa mente suspeita, nossa heroína recorre a um dos grandes hits de Sigmund Freud: a interpretação de sonhos. E quem ganha com isso é o espectador. As sequências oníricas estão entre as melhores desse tipo no cinema, inspiradas nas obras de Salvador Dalí – justamente o artista que levou a outro tipo de tela a exploração do inconsciente.

PSICOSE

Psycho (1960)

Direção: Alfred Hitchcock

Considerado pelo American Film Institute o segundo maior vilão do cinema (o primeiro é o doutor canibal de *O silêncio dos inocentes*), Norman Bates, interpretado por Anthony Perkins, é um personagem com um grande desvio em seu desenvolvimento psicossexual. Norman não consegue ultrapassar a fase edipiana e mantém-se obcecado pela figura materna – a tal ponto que, saberemos pela boca de um psiquiatra, ele já havia matado a própria mãe e o padrasto, por ciúmes. Depois desses assassinatos – que acontecem antes dos eventos mostrados no filme –, diante da impossibilidade de ter a mãe como objeto de desejo, o gerente de motel mais famoso do mundo passa a se identificar com ela, e de maneira alucinada, o que provoca o transtorno mental que é o grande mistério – hoje já amplamente conhecido – desse suspense: Norman Bates divide a própria personalidade com a da mãe morta, uma mulher extremamente possessiva e repressora, e transforma a fúria desse superego materno numa sequência de novos homicídios.

O filósofo e teórico do cinema Slavoj Žižek sugere mais uma interpretação psicanalítica interessante para o filme, especificamente para a estrutura do motel da família Bates, associando-a às três instâncias da mente segundo Freud. O porão do estabelecimento, onde Norman guarda o cadáver mumificado da mãe, seria o espaço do id, onde todas as loucuras seriam possíveis. O andar térreo, onde ele até parece uma pessoa normal, atendendo os hóspedes, seria o espaço do ego, a subpersonalidade que precisa adequar os arroubos do id às exigências da realidade – afinal, o motel precisa ser um negócio viável para que seu dono possa se manter. Já o andar superior seria o espaço do superego, de onde vêm as censuras da mãe – internalizadas pela mente insana de Norman –, uma Jocasta do mal que não quer saber de mulheres naquele motel, muito menos nuas debaixo de um chuveiro.

A sequência mais emblemática do filme – que é também um dos momentos mais icônicos de toda a história do cinema – dura exatos 45 segundos de taquicardia: Norman Bates esfaqueando a hóspede em pleno banho, fantasiado com as roupas de sua mãe morta – uma cena de horror extremo, que acabou complicando a vida de Hitchcock junto aos censores. O Código Hays – um conjunto de normas morais aplicadas aos filmes nos Estados Unidos até 1968 – iria barrar tanto a nudez da atriz Janet Leigh quanto os golpes de faca que matariam sua personagem. Para driblar a censura, o diretor deu um show de edição cinematográfica: nenhuma perfuração aparece de fato, nem as partes proibidas do corpo feminino. O que se vê, em ritmo vertiginoso, é um mosaico de dezenas de imagens recortadas: closes, ângulos de baixo para cima, de cima para baixo, do chuveiro, da faca, do braço da vítima, seu umbigo, pés, rosto, boca gritando, o sangue escorrendo para o ralo. O diretor retalha a cena da mesma forma que o esquizofrênico faz com o corpo da vítima.

FREUD – ALÉM DA ALMA

Freud (1962)

Direção: John Huston

É a grande referência em cinebiografia de Sigmund Freud, levada a cabo por um diretor de primeira linha, com um ator, Montgomery Clift, perfeito para o personagem histórico – talvez porque estivesse imerso em problemas psíquicos na época das filmagens. Mas quem acompanhou os preparativos para que o filme saísse do papel não apostaria uma caixa de charutos na probabilidade de ele chegar às telas.

Com a melhor das intenções, John Huston encomendou a ninguém menos que o filósofo existencialista Jean-Paul Sartre um roteiro sobre a vida de Freud. Em dado momento, até acolheu o intelectual em sua casa para acelerar o processo. Sartre respondeu à hospitalidade bebendo todo o uísque do diretor, mas nunca que acabava a escrita. Quando finalmente terminou, entregou-lhe um calhamaço tão grande que, se virasse filme, teria de ser exibido ao longo de um dia inteiro. Talvez dois. Huston, já desesperado, decidiu cortar ele mesmo tudo o que podia naquele original e conseguiu enxugar a coisa toda num script para pouco mais de duas horas de filme – já bem pouco parecido com o texto de Sartre, que acabou fora dos créditos.

Tão turbulenta quanto a produção do roteiro foi a interação do diretor com seu ator principal. Apesar de ser uma figura paterna para Montgomery Clift, com quem já havia trabalhado em *Os desajustados* (1961), John Huston "se inspirou" nas teorias freudianas para azucrinar o ator, discutindo insistentemente com ele sobre a repressão como mecanismo de defesa do ego – em alusões pouco sutis à homossexualidade escondida de Clift, que o diretor, nessa posição de pai postiço, não parecia aceitar muito bem.

Mesmo com tudo isso acontecendo no processo, o resultado é um ótimo cartão de visitas para a época em que Freud inventou a psicanálise. Estão lá as aulas de Charcot, hipnotizando histéricas, a revolta dos cientistas contra as ideias de Freud a respeito da sexualidade e os questionamentos do próprio austríaco sobre a veracidade de suas teses. As sequências que envolvem o tratamento de uma paciente – uma personagem fictícia – apresentam um festival de transtornos mentais para os que estão se iniciando nos objetos do estudo psicanalítico: a mulher é sexualmente reprimida, histérica, com fixação pelo pai e transferência desse sentimento para a figura do psicanalista. É aí que John Huston dá uma ideia bem abrangente de como as fantasias sexuais das crianças podem se transformar em neuroses para a vida toda.

A BELA DA TARDE

Belle de Jour (1967)

Direção: Luis Buñuel

Séverine (Catherine Deneuve) é a jovem burguesa entediada que não consegue ter relações sexuais com o marido, um médico bem-sucedido. Em vez de afundar nos sintomas de histeria que essa situação poderia render – pelo menos do ponto de vista psicanalítico –, a moça toma uma atitude aparentemente das mais irracionais: arruma emprego num bordel de luxo, atendendo aos fetiches mais excêntricos, de clientes de todo tipo.

A uma vida de esposa reprimida a personagem responde com a perversão sexual; seus desejos não cabem no que a civilização considera aceitável, e talvez por isso ela não consiga ter prazer com o marido certinho. Como cereja do bolo, as cenas surrealistas do filme (Buñuel foi amigo e colaborador de Salvador Dalí em seus primeiros trabalhos no cinema) ajudam a transportar o espectador para o único lugar em que, segundo Freud, o princípio do prazer impõe suas vontades sem qualquer censura: o campo do inconsciente.

Tudo parece sonho em *A bela da tarde*, e o melhor do programa é que o diretor não entrega uma interpretação mastigada para o público – como um bom psicanalista, aliás. Fica por sua conta analisar a subjetividade dessa mulher tão enigmática quanto fascinante.

NOIVO NEURÓTICO, NOIVA NERVOSA

Annie Hall (1977)

Direção: Woody Allen

Woody Allen começou a fazer psicoterapia aos 24 anos, bem antes de começar sua carreira no cinema, e se tornou um daqueles pacientes eternos, entre idas e vindas com a análise e algumas mudanças de terapeuta – a ponto de o assunto se tornar o seu preferido, tanto quando está falando sério quanto no melhor do seu humor idiossincrático. Não é por acaso, então, que a psicanálise seja presença quase que obrigatória em seus filmes. Em *Bananas* (1971), um de seus primeiros longas-metragens – ainda num estilo mais pastelão e anárquico do que o Allen mais conhecido –, o ator/diretor já aparece num divã, falando livremente sobre sua relação com os pais, afirmando que só se lembra de ter apanhado deles uma única vez: "Eles começaram a me bater em 23 de dezembro de 1942 e pararam no final da primavera de 1944".

Em *Desconstruindo Harry* (1997), diante de um caso clássico de transferência – o paciente se apaixonando pela psicanalista –, a terapeuta interpretada por Demi Moore vai na contramão das regras de contratransferência: corresponde às investidas do analisando (interpretado por Stanley Tucci) e acaba se casando com ele. "Você conhece todos os meus segredos, cada nuance da minha vida psíquica", entusiasma-se o paciente. "Não há um sentimento de desejo que eu não tenha admitido para você durante a terapia."

E uma referência ainda mais direta a Sigmund Freud aparece em *Contos de Nova York* (1989), no episódio "Édipo arrasado", em que uma mãe judia possessiva continua a envergonhar o personagem de Allen na frente dos outros, mesmo depois de morrer – ela aparece no céu da cidade, aconselhando-o a não se casar.

Mas é na comédia romântica *Noivo neurótico, noiva nervosa* que a psicanálise se fixa como protagonista. O filme todo é a tentativa do comediante cheio de neuras Alvy Singer (Allen) de analisar o que foi seu relacionamento com a ex-namorada Annie Hall (Diane Keaton). Logo no prólogo seu personagem cita o livro *O chiste e sua relação com o inconsciente*, de Freud, e, poucas cenas depois, lembrando uma vez em que beijou uma menina na escola e foi repreendido pela professora, o narrador/personagem revela que já tinha curiosidade sexual aos seis anos, quando então a garota beijada reclamou: "Pelo amor de Deus, Alvy! Até Freud fala de um período de latência". E ele respondeu: "Bom, eu nunca tive um período de latência, não posso evitar". (Como falamos na parte do livro sobre o desenvolvimento psicossexual, essa etapa é aquela em que, logo após a fase fálica, a criança de seis a onze anos dá um tempo no interesse por sexo, passando a se envolver mais com as novidades – não sexuais – da vida escolar.)

Após todo o romance que se desenrola ao longo do filme, Alvy termina tirando conclusões sobre a natureza dos relacionamentos amorosos, e o faz como se estivesse falando do id freudiano: são irracionais, loucos e absurdos, mas também algo de que a gente precisa para seguir adiante.

UM MÉTODO PERIGOSO

A Dangerous Method (2011)

Direção: David Cronenberg

Para qualquer interessado na história da psicanálise, este é um filme incontornável. Já seria se só mostrasse a aproximação e o rompimento de Sigmund Freud com o homem que ele julgava seu herdeiro intelectual: Carl Gustav Jung. O primeiríssimo encontro entre os dois é tão repleto de empatia e excitação de ambas as partes que eles passam treze horas conversando sem intervalo. Anos depois, quando se afastam em definitivo, principalmente por divergências conceituais – Jung tinha um lado místico que jamais seria aceito nos cânones da psicanálise –, Freud sente a separação como se perdesse um filho. A relação entre os dois, inclusive, tem algo de edipiano, com Jung rebelando-se contra um pai a quem pretende superar.

Mas o filme de David Cronenberg tem outro atrativo irresistível a respeito daqueles primeiros anos heroicos: permite ao espectador ter uma ideia bem gráfica dos sintomas de uma mulher histérica e de como o transtorno era tratado pela psicoterapia inventada por Freud. O caso que se vê na tela é verídico: a russa Sabina Spielrein, no auge das crises de histeria, é mandada para o hospital em Zurique onde Jung trabalha. (Para ter um ponto de partida a respeito da transformação física que se dava com a paciente em seus surtos, a atriz Keira Knightley leu relatos da própria Sabina dizendo que, nessas ocasiões, parecia um demônio ou um cão.)

O filme mostra que Jung tratou essa paciente com a "cura pela palavra" preconizada por Freud, e que o tratamento foi bem-sucedido: por meio da associação livre, o psicanalista descobriu os pensamentos insuportáveis que Sabina estava reprimindo, e que eram a provável causa de sua histeria. Quando criança, a russa levava surras constantes de seu pai... e gostava. Essa perversão masoquista se desenvolveu de forma que qualquer coisa que lembrasse os espancamentos (uma mão de alguém parecida com a do pai, por exemplo) a deixava sexualmente excitada, a ponto de a moça se masturbar imediatamente.

Na vida real, após sua cura, Sabina – que por um tempo foi amante de Jung, já casado na época – tornou-se uma das primeiras mulheres psicanalistas e participou do círculo freudiano em Viena. Segundo o psicólogo italiano Aldo Carotenuto, que pesquisou a troca de correspondências entre Sabina, Freud e Jung, um estudo feito pela russa, "A destruição como causa do nascimento", acabou influenciando o pai da psicanálise na elaboração de uma de suas teorias mais importantes: a pulsão de morte.

BIBLIOGRAFIA

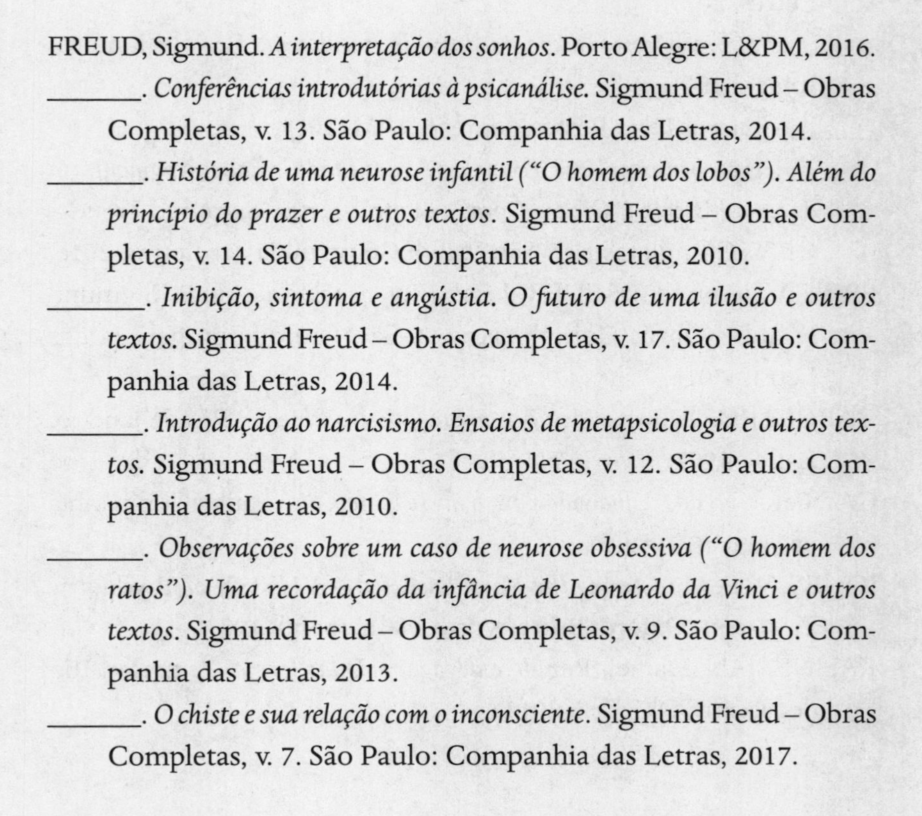

FREUD, Sigmund. *A interpretação dos sonhos*. Porto Alegre: L&PM, 2016.

______. *Conferências introdutórias à psicanálise*. Sigmund Freud – Obras Completas, v. 13. São Paulo: Companhia das Letras, 2014.

______. *História de uma neurose infantil ("O homem dos lobos"). Além do princípio do prazer e outros textos*. Sigmund Freud – Obras Completas, v. 14. São Paulo: Companhia das Letras, 2010.

______. *Inibição, sintoma e angústia. O futuro de uma ilusão e outros textos*. Sigmund Freud – Obras Completas, v. 17. São Paulo: Companhia das Letras, 2014.

______. *Introdução ao narcisismo. Ensaios de metapsicologia e outros textos*. Sigmund Freud – Obras Completas, v. 12. São Paulo: Companhia das Letras, 2010.

______. *Observações sobre um caso de neurose obsessiva ("O homem dos ratos"). Uma recordação da infância de Leonardo da Vinci e outros textos*. Sigmund Freud – Obras Completas, v. 9. São Paulo: Companhia das Letras, 2013.

______. *O chiste e sua relação com o inconsciente*. Sigmund Freud – Obras Completas, v. 7. São Paulo: Companhia das Letras, 2017.

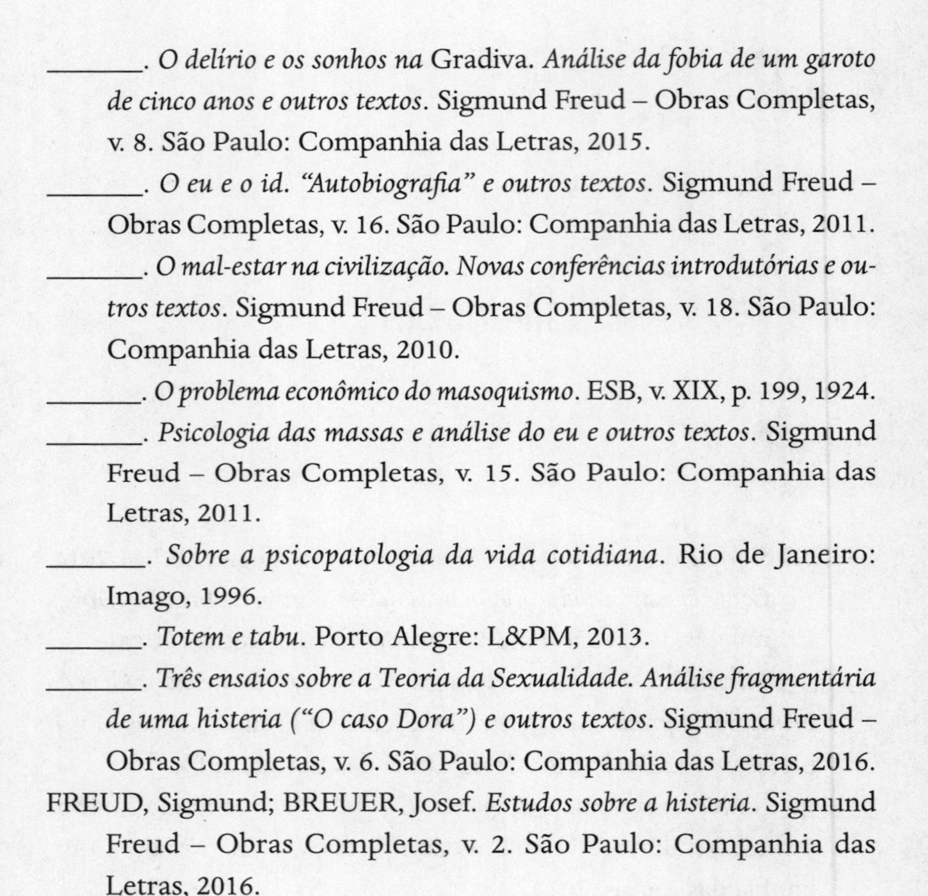

_______. *O delírio e os sonhos na* Gradiva. *Análise da fobia de um garoto de cinco anos e outros textos*. Sigmund Freud – Obras Completas, v. 8. São Paulo: Companhia das Letras, 2015.

_______. *O eu e o id. "Autobiografia" e outros textos*. Sigmund Freud – Obras Completas, v. 16. São Paulo: Companhia das Letras, 2011.

_______. *O mal-estar na civilização. Novas conferências introdutórias e outros textos*. Sigmund Freud – Obras Completas, v. 18. São Paulo: Companhia das Letras, 2010.

_______. *O problema econômico do masoquismo*. ESB, v. XIX, p. 199, 1924.

_______. *Psicologia das massas e análise do eu e outros textos*. Sigmund Freud – Obras Completas, v. 15. São Paulo: Companhia das Letras, 2011.

_______. *Sobre a psicopatologia da vida cotidiana*. Rio de Janeiro: Imago, 1996.

_______. *Totem e tabu*. Porto Alegre: L&PM, 2013.

_______. *Três ensaios sobre a Teoria da Sexualidade. Análise fragmentária de uma histeria ("O caso Dora") e outros textos*. Sigmund Freud – Obras Completas, v. 6. São Paulo: Companhia das Letras, 2016.

FREUD, Sigmund; BREUER, Josef. *Estudos sobre a histeria*. Sigmund Freud – Obras Completas, v. 2. São Paulo: Companhia das Letras, 2016.

GARCIA-ROZA, Luiz Alfredo. *Freud e o inconsciente*. Rio de Janeiro: Zahar, 1987.

GAY, Peter. *Freud – Uma vida para o nosso tempo*. São Paulo: Companhia das Letras, 1989.

JONES, W.L. *Ministering the Mind Diseased – A History of Psychiatric Treatment*. Oxford: Butterworth-Heinemann, 1983.

KAHNEMAN, Daniel. *Rápido e devagar – Duas formas de pensar*. Rio de Janeiro: Objetiva, 2012.

MLODINOW, Leonard. *Subliminar – Como o inconsciente influencia nossas vidas*. Rio de Janeiro: Zahar, 2013.

MOLINA, José Artur. *O que Freud dizia sobre as mulheres*. São Paulo: Editora Unesp, 2016.

ROUDINESCO, Elisabeth. *Sigmund Freud – Na sua época e em nosso tempo*. Rio de Janeiro: Zahar, 2016.

ROUDINESCO, Elisabeth; PLON, Michel. *Dicionário de Psicanálise*. Rio de Janeiro: Zahar, 1998.

SCHULTZ, Duane P.; SCHULTZ, Sydney Ellen. *História da psicologia moderna*. São Paulo: Cengage Learning, 2019.

SIGMAN, Mariano. *A vida secreta da mente*. Rio de Janeiro: Objetiva, 2017.

SÓFOCLES. *Édipo Rei*. *In*: ______. *A trilogia tebana*. Rio de Janeiro: Zahar, 1990.

SOLMS, Mark; KAPLAN-SOLMS, Karen. *Clinical Studies in Neuro-Psychoanalysis: Introduction to a Depth Neuropsychology*. Inglaterra: Routledge, 2000.

SOUZA, Paulo César de. *As palavras de Freud – O vocabulário freudiano e suas versões*. São Paulo: Companhia das Letras, 2010.

TURNER, Steve. *The Beatles – A história por trás de todas as canções*. São Paulo: Cosac & Naify, 2009.

VAN DEURSEN, Felipe. *3 mil anos de guerra*. São Paulo: Abril, 2017.

VÁRIOS AUTORES. *O livro da psicologia*. Tradução de Clara M. Hermeto e Ana Luisa Martins. São Paulo: Globo Livros, 2011.

WEINER, Eric. *A geografia dos génios*. Portugal: Actual, 2016.

YOUNG, Skip Dine. *A psicologia vai ao cinema*. São Paulo: Cultrix, 2014.

FILMES

ALLEN, Woody. *Noivo neurótico, noiva nervosa*. 1977.
BUÑUEL, Luis. *A bela da tarde*. 1967.
CRONENBERG, David. *Um método perigoso*. 2011.
CURTIS, Adam. *The Century of The Self*. 2002.
HITCHCOCK, Alfred. *Psicose*. 1960.
HITCHCOCK, Alfred. *Quando fala o coração*. 1945.
HUSTON, John. *Freud – Além da alma*. 1962.
HUSTON, John. *Let There Be Light*. 1980.
PABST, Georg Wilhelm. *Segredos de uma alma*. 1926.

AGRADECIMENTOS

Meu muito obrigado a todo o pessoal incrível da LeYa Brasil, especialmente à diretora Leila Name, que leu esta obra num avião e me escreveu imediatamente, interessada em lançar o livro. Seu entusiasmo com meu texto tem me encorajado demais a mergulhar em outros universos como escritor.

Obrigado ao jornalista Alexandre Versignassi, parceirão que chamei anos atrás para o pior trabalho do mundo e, em contrapartida, tem me envolvido nos projetos em que mais me realizei – como este livro aqui.

Um milhão de vezes obrigado a Juliana Falcon, Paula e Marcola. Sem seu carinho, compreensão, paciência, estímulo e apoio logístico (nos cuidados com as filhas), eu não teria ido além do primeiro capítulo.

E, finalmente, obrigado aos amigos e parentes que não desistiram de mim apesar das tantas ausências a que o envolvimento com este projeto me obrigou. Em especial, à psicóloga Sueli Carvalho Duarte, que leu este livro antes de todo mundo para que eu não escrevesse besteira sobre as ideias de Freud, tão cheias de armadilhas e reviravoltas.

Em www.leyabrasil.com.br você tem acesso a novidades e conteúdo exclusivo. Visite o site e faça seu cadastro!

A LeYa Brasil também está presente em:

facebook.com/leyabrasil

@leyabrasil

instagram.com/editoraleyabrasil

LeYa Brasil

ESTE LIVRO FOI COMPOSTO EM DANTE MT STD,

CORPO 12 PT, PARA A EDITORA LEYA BRASIL.